Maume Anita

Martin
Gosselin

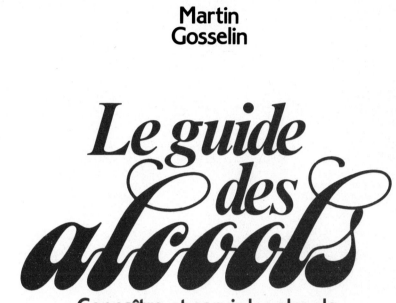

Le guide des alcools

Connaître et servir les alcools

Les livres
UTILIS
JOINDRE L'UTILE À L'AGRÉABLE

Copyright 1986
Les Livres Utilis Inc.
915 boul. St-Cyrille Ouest
Bureau 102
Silerry
G1S 1T8

Bibliothèque nationale du Canada
Bibliothèque nationale du Québec
Dépôt légal — 4e trimestre 1986

I.S.B.N. 2-8930-0008-8

Biographie

Martin Gosselin est professeur à l'école hôtelière de Québec, l'école Wilbrod-Bherer. Il détient un diplôme en technique hôtelière de l'Institut de Tourisme et d'Hôtellerie du Québec et un certificat pédagogique en enseignement professionnel.

Il a complété ses connaissances en France où il a fait les vendandes à St-Amour dans la région du Beaujolais et où il a fait un stage en industrie hôtelière alors qu'il a été en contact avec le milieu des producteurs de vins et spiritueux, tels les Martell, Marie-Brizard, Hennessy et Moët et Chandon.

Conception: Guy Jalbert
Photo couverture: Alain Dancause
Conception graphique, typographie et impression:
Métropole litho inc.

Nous remercions tous ceux qui ont contribué à la préparation de cet ouvrage et plus particulièrement:
1° La Société des Alcools du Québec.
2° L'École Wilbrod-Bherer de la Commission scolaire des Écoles catholiques du Québec.
3° M. Jacques Bouchard, photographe
4° Restaurant La Fenouillière, Hôtel l'Aristrocrate, Ste-Foy, Québec.

Témoignage

Les gradués de l'Institut du Tourisme et de l'Hôtellerie du Québec font de plus en plus honneur à notre industrie touristique; Martin Gosselin, que je connais depuis dix ans, est l'un de ceux qui fait sa marque de façon particulière.

Ce guide des Alcools s'adresse à l'ensemble des consommateurs mais sera également un outil de travail très précieux pour le personnel de la restauration et de l'hôtellerie.

Cet ouvrage est différent des autres, il s'avère le plus complet et il a été conçu de façon à être pratique pour tous les utilisateurs. On reconnaît dans ce livre, le perfectionnisme et le professionnalisme qui ont toujours guidé la carrière de ce professeur. C'est pourquoi, je suis heureux de lui rendre cet hommage.

Michel Moreau, Adm. A.

Ex-président « l'Association des Restaurateurs du Québec »

Table des Matières

Introduction

Cet ouvrage se veut un document à caractère éducatif en ce qui a trait à la connaissance et au service des différentes boissons alcooliques. Il vise aussi bien le consommateur que le personnel oeuvrant dans le milieu de la restauration.

Certes, il fut une époque où les boissons alcooliques étaient mal vues. On n'a qu'à se rappeler la période de prohibition. Il en résulte encore aujourd'hui que les boissons alcooliques sont souvent mal connues et malheureusement mal consommées.

On ne peut que remercier les professionnels de la restauration qui ont oeuvré depuis nombre d'années dans le but de les faire mieux connaître à la clientèle, les initiant à de nouveaux produits et à une nouvelle manière de les consommer.

Ce guide a pour objet de vous faire connaître les différents produits disponibles chez nous et la façon de bien les consommer. Il vous offre une foule de renseignements utiles sur la tenue d'un bar, les matières premières utilisées, l'outillage, les méthodes de travail, les « trucs » du métier et de même,une gamme de recettes de cocktails les plus populaires.

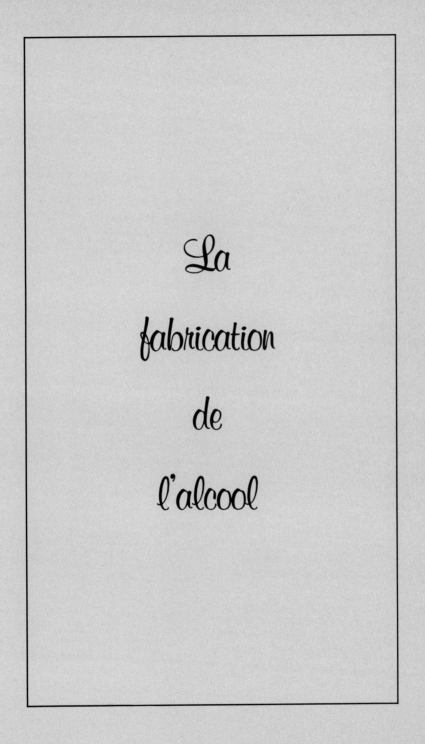

La

fabrication

de

l'alcool

Procédure
de fabrication

L'une des plus vieilles boissons est sans aucun doute le vin, car il est né d'un procédé naturel, simple et à la fois complexe, puisque le grain de raisin possède tous les éléments pour transformer son jus en alcool.

Par une brève étude du grain de raisin, on peut facilement comprendre le processus de formation de l'alcool dans le vin. Le grain comprend une sorte d'enveloppe protectrice nommée pellicule sur laquelle on retrouve des levures ou ferments qui forment une poussière blanche sur la pellicule. Ensuite, on distingue la chair du grain nommée pulpe, qui contient de l'eau et du sucre. Lorsque ce jus sucré entre en contact avec les ferments, ceux-ci transforment le sucre en alcool et en gaz carbonique. Le produit de cette fermentation du jus de raisin est ce qu'on appelle le vin.

Étant donné la faible concentration d'alcool dans le vin, il est nécessaire de procéder à sa distillation pour en augmenter la force de façon à obtenir une eau-de-vie de vin.

L'alcool est aussi produite à partir de certains végétaux contenant du sucre, tels les fruits, les baies et certaines racines. Cependant, nous savons que plusieurs spiritueux sont élaborés à base de céréales, de pommes de terre, etc... Ces végétaux contiennent de l'amidon, qui est possible de transformer en sucre fermentescible par un processus biologique que l'on nomme saccharification.

À ce liquide contenant du sucre fermentescible, on ajoute des levures dont les ferments se chargeront de décomposer et de transformer le sucre en alcool.

Étant donné la faible concentration d'alcool que possède ce liquide de céréales fermentées, il est nécessaire de procéder à sa distillation pour en augmenter la force en alcool.

Le processus de la distillation consiste à séparer par la chaleur, l'alcool du vin ou de tout autre liquide contenant de l'alcool.

Cette distillation s'opère au moyen d'un appareil nommé alambic, créé en 1830 par un Irlandais nommé Coffey. L'alambic est encore utilisé pour le cognac et certains whiskies. La distillation se réalise également au moyen d'un appareil plus sophistiqué appelé communément alambic à colonnes ou à distillation continue. Ce dernier sert désormais à la fabrication de la majorité des spiritueux.

L'alambic traditionnel

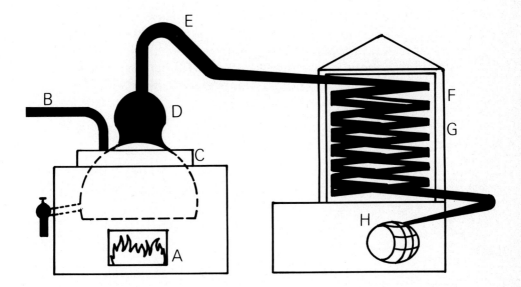

A) Foyer à feu nu.

B) Arrivée du liquide à distiller.

C) Cucurbite, partie supérieure de la chaudière qui pénètre dans le fourneau et qui contient la matière à distiller.

D) Chapiteau, partie supérieure de la chaudière.

E) Col de cygne, partie reliant le chapiteau au serpentin.

F) Serpentin, partie intérieure du réfrigérant.

G) Réfrigérant.

H) Distillat.

L'alambic est l'outil de la distillation. Après avoir introduit le liquide à distiller dans le cucurbite, il est chauffé. Sachant que l'alcool s'évapore à 78° celcius (une température plus basse que celle de l'eau), la distillation consiste à tirer profit de cette différence de volatilité.

S'il s'agit du vin, il sera donc chauffé de manière à ce que l'alcool s'en dissocie pour aller se frapper au chapiteau, emprunter le col de cygne et enfin se condenser dans le serpentin, récupérant ainsi un distillat incolore qui, dans cet exemple, portera le nom de brandy.

Pour obtenir un distillat plus pur, on répètera le processus de deux à trois fois.

Les degrés d'alcool selon les différents systèmes

À vrai dire, il est assez difficile d'expliquer une notion aussi confuse. On parle de degré d'alcool par volume, pourcentage d'alcool, degré-preuve ou « proof » (expression anglaise) et de degré Sykes.

Le degré-preuve est la force alcoolique d'une boisson.

L'histoire démontre qu'il n'y avait aucune méthode sérieuse pour vérifier la teneur en alcool d'une boisson. Mais on a découvert qu'il était possible d'enflammer un mélange constitué de poudre à fusil, d'alcool et d'eau. Les vendeurs de boisson pouvaient donc ainsi faire PREUVE de leur produit si celui-ci brûlait bien. Lorsque c'était le cas, on disait de leur alcool qu'il était « proof »; si la boisson avait peine à brûler ou s'enflammait très rapidement, on qualifiait alors le produit de « under proof » ou « over proof ».

Bartholemy Sykes, pour sa part, chercha à découvrir à quel niveau l'alcool est en quantité suffisante dans un liquide pour s'enflammer instantanément. Il prit comme base de son système le zéro (0) « under proof » ou « over proof » et constitua une échelle. En remplaçant le point zéro par 100 % de preuve, on obtient le degré-preuve canadien.

On découvrit plus tard que le 100 % de preuve était égal à 57,1 % d'alcool par volume de liquide, sur quoi est basé le système canadien : le pourcentage indiqué sur la bouteille indique le degré d'alcool par rapport à 100 % de liquide contenu dans la bouteille.

Le système américain est basé sur la preuve d'alcool mais sur une échelle de 200 %, correspondant au 100 % preuve de Sykes. Alors si le 100 % preuve de Sykes est égal à 57,1 % d'alcool par 100 % de volume, il sera égal à 114,2 % d'alcool par 200 % de volume pour le système américain. Ainsi, le chiffre 80 % preuve inscrit sur une bouteille américaine correspond à 40 % d'alcool par volume.

Tableau comparatif des degrés d'alcool selon les systèmes

% EN VOLUME D'ALCOOL	PREUVE AMÉRICAINE	PREUVE	SYKES – PREUVE CANADIENNE	
			DEGRÉ UP OU OP	ALCOOL-PREUVE
100	200	AU-DESSUS	75,2 OP	175,2
94	188		64,6 OP	164,6
90	180		57,6 OP	157,6
80	160		40,1 OP	140,1
70	140		22,6 OP	122,6
60	120		5,1 OP	105,1
57,1	114,2	PREUVE	0	100
50	100	AU-DESSOUS	12,4 UP	87,6
40	80		30 UP	70
30	60		52,5 UP	47,5
20	40		65	35
10	20		82,5 UP	17,5
0	0		100 UP	0

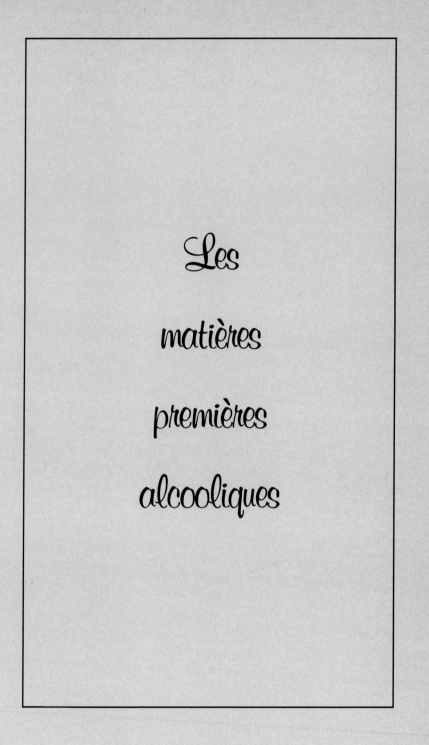

Les

matières

premières

alcooliques

Les matières premières alcooliques

Il est très intéressant de connaître les particularités des boissons alcooliques, les éléments de base entrant dans leur fabrication, leur origine et aussi la manière de les servir selon l'éthique professionnelle.

L'ensemble de ces informations qui suivent ne peut qu'améliorer vos connaissances tout en vous permettant de mieux apprécier les boissons et de mieux suggérer et servir vos convives.

Dans les prochaines pages, vous retrouverez les boissons regroupées selon les rubriques suivantes :
- apéritifs
- spiritueux
- digestifs
- et bières.

Il est important de mentionner ici que les marques commerciales citées dans ces pages ne le sont qu'à titre de référence et en aucun cas, dans un but publicitaire.

Les apéritifs

Terme très vague désignant pratiquement tous les alcools et vins pris avant un repas pour se mettre en appétit.

Exemples :

- **les vins fortifiées aromatisés ou non**

- **les mistelles**

- **les anisés**

- **les bitters**

- **les autres liqueurs apéritives.**

Vin de liqueur d'origine française, fabriqué selon une vieille recette Catalane. On peut dire aussi vin fortifié ou viné lorsqu'on parle d'un vin additionné d'eau-de-vie de vin.

Servir frais, nature dans un verre à cocktail, décoré d'un zeste de citron ou encore sur glace dans un verre à old fashioned avec un zeste ou une demi-tranche de citron accompagné d'un pic à cocktail.

Peut naturellement être servi moitié-rouge, moitié-blanc.

Bartissol blanc
16 % Bartissol S.A.
Bartissol rouge
16 % Bartissol S.A.

Liqueur apéritive d'origine italienne et française par-fumée avec des racines, des herbes et des écorces de fruits. Possède un goût amer. Utilisé pour la fabrication de cocktails, tel le Négroni.

Servir 1 once 1/4 sur glace, dans un verre à highball allongé de club-soda et décoré d'une demi-tranche d'orange et d'un bâton. Dans le cas de l'Amer-Picon, on peut le servir comme suit : verser un trait de sirop de grenadine dans un verre à highball, remplir à un pouce du bord d'eau Perrier et faire flotter 1 once 1/4 d'Amer-Picon sur l'eau.

Campari, liqueur apéritive Canada
25 % La Distillation Meagher Ltée
Amer-Picon France
25 % Picon S.A.

Vin apéritif français, à base de vin épicé à la quinine et fortifié d'eau-de-vie de vin.

Servir frais, nature dans un verre à cocktail décoré d'un zeste de citron ou encore sur glace dans un verre à old fashioned avec un zeste ou une demi-tranche de citron accompagné d'un pic à cocktail. Peut être servi aussi dans un verre à highball avec glace, sirop de citron et allongé de club-soda décoré d'une demi-tranche de citron.

Byrrh
18% Violet Frères.

Liqueur apéritive produite par la Société des Alcools du Québec, qui, à son origine, était constituée d'un mélange d'alcool neutre et d'un vin de type porto.

Servir frais, nature dans un verre à cocktail ou sur glace dans un verre à old fashioned.

Caribou, Liqueur apéritive Canada
24 % Société des Alcools du Québec

Fabriqué au Québec, c'est un vin de pomme aromatisé à la manière des vermouths. Disponible en blanc, rouge et rosé.

Servir frais nature dans un verre à cocktail décoré d'un zeste de citron ou sur glace dans un verre à old fashioned avec un zeste ou une demi-tranche de citron, accompagné d'un pic à cocktail.

Bellini Cidre apéritif
15,5% La Cidrerie du Québec Ltée

5 à 7, Cidre apéritif
15,5% La Cidrerie du Québec Ltée

Apérossimo Cidre apéritif
16% Lubec Inc.

Du Rouget Cidre apéritif
18% Les Vins Bright Ltée

Kirié Cidre apéritif
16% Lubec Inc.

Apéritif à base de vin de bleuet viné fabriqué au Québec.

Servir frais, nature dans un verre à cocktail ou sur glace dans un verre à old fashioned avec un demi-tranche d'orange accompagné d'un pic à cocktail.

Dubleuet
15,5 % Julac Inc.

Apéritif français élaboré avec un vin doux naturel additionné de quinine et d'écorces amères. Il est disponible en rouge, en blanc et ambré.

Servir frais, nature dans un verre à cocktail décoré d'un zeste de citron ou sur glace dans un verre à old fashioned avec un zeste ou une demi-tranche de citron accompagné d'un pic à cocktail. Peut être servi aussi dans un verre à highball avec de la glace et allongé de club soda décoré d'une demi-tranche de citron et d'un bâton.

Dry Dubonnet (blanc)
18 % C.D.C.
Dubonnet (rouge)
18 % C.D.C.
Dubonnet (Ambré)
18 % C.D.C.

Vin produit dans l'Ile de Madère près du Portugal. Il s'agit d'un vin auquel on ajoute de l'alcool et qui par la suite séjournera en fût dans un cellier à chauffage central. On amène progressivement la température aux environs de 45° C puis, on la laissera revenir à la normale en six mois, ce qui lui confèrera son excellence.

Servir frais, nature dans un verre à porto ou à sherry.

Madère Malvoisie doux
19 % Henriques & Henriques Lda.
Madère
19 % Casa Dos Vinhos de Madeira.

MALAGA

Vin espagnol, c'est un vin de liqueur à la fois riche et de couleur sombre. Il est agréable à consommer en apéritif ou encore au dessert. Avant le pressurage, les raisins sont disposés sur des nattes de pailles, alors que le soleil se chargera de les mûrir et de les adoucir. Il devra vieillir quelques années en fût de chêne avant d'être mis en vente.

Servir frais, nature dans un verre à Sherry.

Malaga, Lagrima Bacarles
Hijos de Anton Barcelo S.A.

Principal vin de liqueur italien, originaire de la Sicile, il est de couleur foncée et a un léger goût de caramel. Il est élaboré à partir d'un vin blanc auquel on ajoute du raisin séché, de l'eau-de-vie et du sirop de raisin.

Il devra vieillir de deux à cinq ans en fût. C'est un ingrédient essentiel pour la confection du Sabayon traditionnel: dessert constitué de marsala, de sucre et de jaunes d'oeufs montés en une crème onctueuse.

Servir frais, nature dans un verre à Sherry.

Vecchioflorio Sec, Marsala Superiore
18% S.A.V.I. Florio y C. S.p.a.

Apéritif national grec, à l'anis qui s'apparente aux apéritifs français comme le Ricard et le Pernod. Comme eux, sa couleur devient trouble lorsqu'on y ajoute de l'eau. Les Grecs aiment bien grignoter des pistaches lorsqu'ils le consomment.

Servir 1 once 1/4 sur glace dans un verre à highball accompagné d'un bâton et allonger d'eau très froide.

Ouzo, Grèce
42 % N.G. Callicounis
Ouzo Extra Dry Grèce
45 % Andreu P. Cambas S.A.

Apéritif français, c'est un alcool parfumé aux herbes et plus particulièrement aux grains d'anis. Son odeur, son aspect et son goût ressemblent à l'absinthe dont l'usage est défendu par la loi, étant considérée comme nocive pour le système nerveux. Le pastis devient laiteux lorsqu'on y ajoute de l'eau. Certains barmen le recommandent contre le mal-de-mer.

Servir 1 once 1/4 sur glace dans un verre à highball accompagné d'un bâton et allonger d'eau froide dans les proportions suivantes : une partie de pastis pour cinq parties d'eau. Certains préfèrent l'accompagner de jus d'orange. Un pastis à l'eau servi avec du sirop de grenadine porte le nom de Tomate.

Pernod, France
40,1 Pernod & Fils
Pastis de Marseille, France
45 % Berger S.A.

Pastis Ricard, France
45 % Ricard.

Produit dans la région de Cognac, ce vin de liqueur est fabriqué avec du jus de raisin de la région des Charentes à lequel on additionne du cognac. L'histoire raconte que vers la fin du XVIe siècle, un vigneron Charentais aurait commis l'erreur de verser du vin dans un fût contenant encore un peu de cognac. On nomme mistelle le mélange de jus de raisin non fermenté et d'alcool. L'addition de l'alcool empêche la fermentation et tout le sucre demeure naturel, laissant une saveur sucrée.

Servir frais, nature, dans un verre à cocktail ou encore sur glace dans un verre à old fashioned. Il est original de le décorer d'un grain de raisin que nous avons congelé au préalable. Certains osent l'aromatiser d'un soupçon de cognac.

41

Château de Beaulon, A.O.C.
18 % Ch. Thomas
Le Coq d'or, A.O.C.
17 % A. Hardy & Co.
Pineau Pellison, A.O.C.
17 % Pellisson S.A.
Fleur de Pineau
17 % Angevin
Reynac
17 % Union Coop. Viticulteur Charentais
St-Michel, Pineau de Luxe
17 % Compagnie Viticole des Charentes

Vin viné portugais. Les portos canadiens et australiens ne sont que des vins de type porto. Selon la loi portugaise, le porto est un vin de la région du Haut Douro, additionné d'eau-de-vin et ensuite expédié à la ville de Porto, qui lui donne son nom.

La saveur sucrée du porto est due à la procédure de fabrication suivante : lors de la fermentation du jus de raisin (avant même que celle-ci soit complétée, alors que le sucre n'est pas encore transformé totalement en alcool et en CO_2), on ajoute le brandy dans une proportion égale à environ 20 % arrêtant ainsi la fermentation et lui permettra de conserver une saveur sucrée. Lorsque l'année est exceptionnelle, on « millésimera » le porto « Vintage Port ». Il s'agit alors de porto qui n'a pas été mélangé avec celui d'années antérieures, comme *il en est le cas habituellement. Parmi les dernières années, 1963 et 1970 sont probablement les meilleures.*

En plus du « Vintage Port », il existe d'autres types de portos tels : WHITE PORT qui est un porto blanc élaboré de raisins blancs; il est souvent plus sec que le porto rouge.

PORTO RUBY, ce jeune porto n'a pas séjourné longtemps en fût, de couleur foncée, il est fruité et doux.

TAWNY PORT, est conservé longtemps en fût ce qui lui donnera sa jolie couleur roussâtre et un caractère souple et léger.

Le porto accompagne parfaitement le fromage de Roquefort.

Servir frais, nature dans un verre à porto ou à sherry.

Hunting Porto Tawny Fin
20 % John Harvey & Sons
Porto Ruby
20 % Sandeman Bros & Co.
Royal Palace
20 % Delaforce Sons & Co.

Vin de liqueur de la région de Champagne composé à 80 % de moût de raisins (jus de raisin non fermenté) et 20 % d'alcool, élaboré par la maison Laurent Perrier.

Servir nature, froid mais non glacé dans un verre à cocktail.

Ratafia de Champagne
18 % Laurent Perrier.

Vin de liqueur français, c'est un vin viné dont le goût rappelle celui du Pineau des Charentes.

Ne pas confondre avec St-Michel Pineau de Luxe qui est un véritable Pineau des Charentes a.c.

Servir frais, nature dans un verre à cocktail ou sur glace dans un old fashioned. On peut aussi l'aromatiser d'un soupçon de cognac.

St-Michel
17 % Compagnie Viticole des Charentes

Apéritif français à base de vin viné épicé à la quinine. Il est produit en rouge et en doré. On l'associe au Byrrh et au Dubonnet.

Servir frais, nature, dans un verre à cocktail décoré d'un zeste de citron ou sur glace dans un verre à old fashioned avec un zeste ou une demi-tranche de citron accompagné d'un pic.

St-Raphaël doré
17 % Soc. St-Raphaël
St-Raphaël rouge
17 % Soc. St-Raphaël

Vin doux d'appellation d'origine contrôlée produit en Grèce. Ce vin est élaboré avec du raisin Muscat blanc sur l'Ile de Samos. En plus d'être agréable à l'apéritif, il demeure un excellent vin de dessert.

Servir frais, nature dans un verre à cocktail ou encore dans un verre à vin blanc.

Muscat Samos, A.O.C.
17,3% Union des Coop, Vinicoles de Samos.

Vin aromatisé dont la recette est d'origine espagnole, fabriqué aussi au Québec à partir d'un vin de table rouge aromatisé par la macération ou l'addition d'extraits de substances végétales ou de préparation aromatisante.

Se sert en punch sur glace, décoré de morceaux de fruits (orange, pêche, citron, et cerise) ou dans un grand verre à vin avec glace.

Cruz Garcia, Réal Sangria, Espagne
10 % Cruz Garcia Lafuente
Sangria,
La Maison Sécrestat Ltée

Sangria,
7 % Les Vins Andrès du Québec Ltée.

Nom que l'on donne en Allemagne et dans les pays anglo-saxons à un mélange composé d'un tiers de vin du Rhin et de deux tiers d'eau gazeuse. C'est une boisson rafraîchissante agréable à boire l'été.

Servir dans un grand verre à vin avec de la glace. Il est aussi facile de le confectionner soi-même car n'importe quel vin blanc honnête fait très bien lorsqu'il est additionné de club soda.

Club Spritz
6 % T.G. Bright (Québec) Ltée

Apéritif à la gentiane (racine de la fleur), fabriqué en France et possèdant un goût très amer.

Servir 1 once 1/4 sur glace dans un verre à highball allongé de club soda ou d'eau Perrier décoré d'un zeste de citron et d'un bâton. On peut l'adoucir avec un soupçon de grenadine, sirop de citron ou de cassis.

S'il est servi dans un verre à old fashioned avec un sirop de votre choix, sans l'allonger d'eau ou de boisson gazeuse, il portera le nom du sirop, tel : Suze cassis, Suze citron.

Suze France
16 % S.E.G.M.

VERMOUTH

D'origine italienne, il date du XVIIe siècle. On en produit maintenant dans plusieurs pays et les deux principales espèces sont : le blanc sec dit français et le rouge doux dit italien.

Il est fabriqué à base de vin auquel on ajoute des mistelles (jus de raisin non fermenté muté à l'alcool), du sirop de sucre, de l'alcool et des alcoolats (distillats d'alcool sur substances aromatiques) ainsi que des épices que chaque fabricant garde jalousement secrètes, à titre d'exemples : hysope, gentiane quinquina, fenouil, thym, coriandre, genièvre, clou de girofle, muscade, vanille, canelle, camomille, écorce d'orange, sureau et anis.

Garder le vermouth au frais. On peut le servir nature dans un verre à cocktail décoré d'un zeste de citron ou encore sur glace dans un verre à old fashioned avec un zeste ou une demi-tranche de citron accompagné d'un pic à cocktail. Il peut aussi être servi moitié rouge, moitié blanc.

Noilly Prat, Martini Rossi, Cinzano, Cora, Stock, produisent du vermouth français et du vermouth italien.
16% à 18%.

C'est un apéritif très agréable qui nous provient d'Espagne. Les xérès des autres pays n'en sont donc pas de véritables. C'est un vin viné parce qu'on lui ajoute de l'eau-de-vie de vin après sa fermentation pour élever sa teneur en alcool aux environs de 18 % pour les FINOS qui sont secs et de couleur pâte et 20 % dans les cas des OLOROSOS qui sont plus foncés et plus doux. L'AMONTILLADO est un fino un peu plus alcoolisé et plus foncé. Pour ce qui est du xérès crème (cream sherry), c'est un oloroso très doux qui fut créé et produit en Angleterre à Bristol. À partir d'olorosos expédiés en fûts de Jérès et traité à Bristol. Il existe aussi des Bristols Milk qui sont un peu moins doux. Toutefois la mention BRISTOL CREAM et BRISTOL MILK n'est accordée qu'au Xérès mis en bouteille à Bristol.

Le sherry sec se sert comme apéritif et le doux avec le dessert ou bien en fin d'après-midi accompagné de petits fours.

Servir frais nature dans un verre à sherry.

Bobadilla, Fino Sherry, sec
19,5 % M. Fernandez
Dry Sack, Sherry
19,5 % Williams and Humbert
Harveys, Bristol Milk, Sherry
17,7 % John Harvey & Sons
**Sandeman,
Sherry Demi-Sec, Amontillado**
18 % Sandeman Bros & Co.
Tesoro, Sherry Oloroso
20 % Marquès del Real Tesoro.

Les Spiritueux

Tout liquide alcoolique obtenu par distillation.
On entend par spiritueux les eaux-de-vie et
autres distillats qui ne sont pas des liqueurs
comme :
- **le cognac**
- **le whisky**
- **la vodka**
- **le rhum**
- **les eaux-de-vie de fruits, etc...**

Originaire des pays scandinaves, c'est un alcool de céréale ou de pomme de terre. Dans les deux cas, il est parfumé notamment avec du cumin, carvi, fenouil, aneth ou coriandre.

Il accompagne très bien le saumon fumé.

Servir très froid nature (1 once dans un verre à cordial).

Aalborg Akvavit, Danemark
45 % Danisco Ltd.

De fabrication canadienne, c'est un alcool de grain ou de mélasse redistillé. On dit rectifié de façon à ce qu'il ne contienne que de l'alcool éthylique.

Son utilisation première est pour la fabrication des liqueurs. Certaines personnes le mélangent à la crème de menthe pour ensuite lui donner le nom de Marteau.

Servir 1 once 1/4 nature, froid ou sur glace dans un verre à highball avec un bâton allongé soit de boisson gazeuse, telle le Seven-Up, le jus de pamplemousse ou d'orange. On le sert aussi avec de l'eau froide ou chaude avec un peu de sucre ou de miel.

Alcool Canada
40 % Société des Alcools du Québec

Alcool Canada
40 % Les Distr. Dumont

Alcool Canada
40 % Schenley Canada Inc.

P'tit blanc Canada
40 % Melchers Inc.

Alcool Canada
94 % Société des Alcools du Québec.

C'est une eau-de-vie française fabriquée avec des raisins cultivés dans la région d'Armagnac et vieillie dans des fûts de chêne. Le vin est distillé une seule fois avec sa lie (dépôt) selon la loi française pour nous donner un alcool corsé, au goût nettement caractérisé et fort qui est vendu en bouteille nommée basquaise, (flacon plat arrondi au long cou).

Habituellement servi en digestif : une once dans un ballon pour en dégager entièrement son bouquet.

Clés des Ducs, Armagnac France
40 % Distillerie de la Cote de Basque
Saint-Vivant, Armagnac V.S. France
40 % Cie d'Armagnac Saint-Vivant
Armagnac Selection France
40 % B. Gélas & Fils

Grande marque de brandy allemand. Il est le produit de raisins d'origine des Charentes en France et vieilli en fût de chêne du Limousin. Il est utilisé pour le café flambé nommé Rüdesheimer.

Servir une once dans un ballon à dégustation ou dans un verre à cordial. Si désiré 1 once 1/4 allongé, dans un verre à highball avec glace, bâton et eau minérale ou avec boissons gazeuses.

Asbach Uralt, Brandy Allemagne
40 % Asbach & Co.

Eau-de-vie de vin pouvant provenir de n'importe quelle région ou pays. Il n'est distillé qu'une seule fois. Sa couleur est le résultat du vieillissement dans des fûts de chêne du Limousin.

Une fois mis en bouteille, il ne s'améliore plus. Le mot brandy est à l'origine de l'expression « Brand Wine » qui signifie vin brûlé pour distiller. Il existe une marque de brandy incolore qui n'a pas séjourné en fût et qui porte le nom de Mont Blanc.

Servir une once dans un ballon à dégustation ou dans un verre à cordial. Si désiré allongé, le servir dans un verre à highball avec glace, un bâton, de l'eau minérale ou autre boisson gazeuse. Il se sert fréquemment en floater, c'est-à-dire dans un verre à highball rempli d'eau de Vichy froide à un pouce du bord sur laquelle on fait flotter le brandy en le versant lentement.

Barclay's Brandy XXXXX Canada
40 % La Compagnie Jas. Barclay Ltée

Brandy Français, France
40 % La Société des Alcools du Québec

Brandy Fundalor, Espagne
40 % Pedro Domecq

Cheminaud, Fine Brandy, Canada
40 % Maison Cheminaud Ltée

**Coronet V.S.Q. Brandy,
Canada**
40 % Schenley Canada Ltée

D'Eaubonne Brandy Canada
40 % Maison d'Eaubonne Cie

**Mont Blanc, Brandy Blanc,
Canada**
40 % Paul Masson & Cie Ltée

St-Rémi Brandy Français
40 % Distr. St-Rémi

**Stock 84 Brandy
V.S.O.P. Italie**
40 % Distr. Stock S.p.A.

Eau-de-vie de cidre de pomme produite au Québec et vieillie en baril pour lui donner la couleur et le goût.

Servir en digestif une once dans un verre ballon pour en dégager entièrement le bouquet.

Calvabec Dumont Canada
40 % Les Distr. Dumont Ltée

Eau-de-vie de cidre de pomme produite en Norman-die, France et vieillie en baril pour lui donner la couleur et le goût.

Servir en digestif une once dans un verre ballon pour en dégager entièrement le bouquet. Utilisé pour le Trou Normand: verre d'une once de calvados que l'on prend cul-sec avant le plat de résistance.

**Calvados Morice, Calvados du
Pays d'Auge A.G. France**
42% Calvados Morice S.a.r.L.
**Fine Calvados Boulard,
Pays d'Auge A.C. France**
40% S.A. Calvados Boulard.

C'est un brandy extraordinaire de la région des Charentes en Cognac.

Les Charentes se divisent en sept sous-régions : La Grande Champagne, La Petite Champagne, les Borderies, les Fins Bois, les Bons Bois, les Bois Ordinaires et les Bois à Terroir.

Le principal cépage est la Folle Blanche.

Après avoir subi deux distillations, le cognac séjournera en fût de chêne du Limousin. Son âge représente le temps passé en fût. Le contrôle légal de l'âge du cognac ne va pas au-delà de cinq ans, après quoi les maisons de cognac ont l'entière responsabilité de leurs déclarations. Malgré tout, les fabricants offrent des produits plus âgés et indiquent l'âge de vieillissement en fût de la manière suivante sur les étiquettes :

- *Une étoile : De cinq à dix ans d'âge*
- *Deux étoiles : Dix ans d'âge*
- *Trois étoiles : Dix à quinze ans d'âge*
- *V.O. (Very old) : Quinze à vingt ans d'âge*
- *V.S.O. (very superior old) : Vingt-cinq ans d'âge*
- *V.S.O.P. (very superior old product) : Plus de trente ans d'âge*
- *V.V.O. (very very old) : sans année précise*
- *X.O.(extra old) et Napoléon : au-dessus de toutes catégories*

Les cognacs qui affichent la mention Grande Fine ou Fine Champagne sur leurs étiquettes doivent provenir de la Grande Champagne ou du coupage d'eau-de-vie de vin de la Grande et de la Petite Champagne.

Il est généralement servi nature, une once dans un verre ballon. Certaines personnes l'aiment lorsqu'il est réchauffé à l'aide du chauffe-cognac et conservent le ballon dans la paume de la main, le hument lentement avant de le déguster. Depuis quelques années, on a tendance à le servir allongé de boissons gazeuse ou d'eau minérale.

Les principales maisons productrices sont les suivantes :

- **Bisquit,**
- **Bisquit Dubouché,**
- **Camus,**
- **Courvoisier,**
- **F.G. Monnet,**
- **Gautier,**
- **Gaston de Lagrange,**
- **Hennessy,**
- **Jules Robin,**
- **Larsen,**
- **Martel,**
- **Otard,**
- **Prince Hubert de Polignac,**
- **Remy Martin,**
- **Renault,**
- **Rouyer.**

40%

Originaires d'Angleterre, les dry gins sont à base d'alcool de céréale rectifié et selon les recettes (qui varient pour chaque fabricant), on ajoute du genièvre, de la coriandre, de la cannelle, des zestes de citron ou d'orange, des racines d'iris, etc...

Le dry gin ne nécessite aucun vieillissement ; exception faite du Seagram's extra dry qui acquiert sa couleur ambrée et son bouquet après un séjour dans un fût dont l'intérieur a été brulé.

Servir 1 once 1/4 sur glace, dans un verre à highball avec un bâton et un quartier de limette ou de citron. Il est allongé principalement avec du tonic water ou autres boissons gazeuses telles : le Seven-Up, bitter lemon et club soda. Il se sert aussi en grog comme le « gros gin » et il entre dans la fabrication de nombreux cocktails.

Dry gins importés :

Beefeater Angleterre
40 % James Burrough

Fleischmann Dry gin U.S.A.
40 % Fleischmann Distilling Co.

Tanqueray Extra sec d'Angleterre
40 % Charles Tanqueray Co.

Dry gins canadiens :

Boodles, Corby, Gilbey's, Gordon's, King Arthur, McGuinness Marble Arch, Meaghers Deluxe, Melchers Maxi, Melville 100, Park & Tilford, Schenley, Seagram's Extra dry, Sir Robert Burnett's, Vicker's, Wiser's, etc...
40 %

EGLANTINE GRATTE-CUL

C'est un alcool blanc, français, résultat de la distillation du fruit de l'églantier qui est un rosier sauvage. Ce fruit appelé vulgairement gratte-cul est rouge et allongé. De plus, il est recommandé dans le cas de diarrhée chronique.

Il se consomme froid, nature, une once dans un verre ballon.

Eau-de-vie d'Eglantine Gratte-Cul
45 % Kuhri.

Eau-de-vie française résultant de la distillation du fruit.

Se consomme froide, nature, une once dans un verre ballon.

**Eau-de-vie de Framboise Sauvage
des Gastromes France**
50 % M.T. Saguin
Framboise Luzet France
50 % Ets. Paul Devoille

Considéré en Hollande comme un remède, il fut introduit en Angleterre au XVIIIe siècle par Guillaume d'Orange. Ce gin est fabriqué avec un alcool corsé auquel on ajoute du concentré de genièvre, de la racine d'angélique et de la ligueur de malt.

Servir 1 once 1/4 dans un mug avec de l'eau chaude (voir la recette du Hot Gin), ou dans un verre à highball avec de la glace, un bâton et souvent allongé avec de l'eau froide. Il peut aussi être servi nature dans un verre à sherry.

Gins de Genièvre importés

**Gros Gin La Clé,
Genièvre Blankenheym Hollande**
40 % Blankenheym & Nolet.

Gins de Genièvre canadiens

As de pique, Beau Geste, Bols, Croix d'or 1898, Fockink, Genièvre de Kuyper, Henkes, Gros Gin Marchand Nordick, Pieter de Jong, Veuve Severy.
40 %

Originaire d'Italie, le grappa est une eau-de-vie produite par la distillation du marc (résidu demeurant dans le pressoir après avoir extrait le jus de raisin). La majorité des Grappas sont jeunes et durs.

Servir en digestif — une once dans un verre ballon pour en dégager entièrement le bouquet.

Grappa Italie
40 % Carpene Malvolti.

Originaire de la France et de la Suisse, c'est une eau-de-vie de cerise. On tend à laisser tomber l'addition d'une partie des noyaux que l'on ajoutait au moût de cerise pour la fermentation, ceci dû à des raisons d'acidité.

Se consomme froid, nature — une once dans un ballon. Il demeure souvent utilisé en pâtisserie pour le célèbre gâteau Forêt Noire ou encore pour parfumer la salade de fruits.

Kirsch Fantaisie France
40 % Klem S.A. Liqueurs Garnier
Kirsch Luzet France
50 % Paul Devoille
Kirsch Eau-de-vie de cerise, Canada
40 % Rieder Distr. Ltd.

Eau-de-vie obtenue par la distillation du marc de raisin, (résidu demeurant dans le pressoir après avoir extrait le jus des raisins). Le plus célèbre est celui produit en Bourgogne quoique la plupart des régions vinicoles en produisent également : celui de champagne plus léger et plus fin, de Gewurtztraminer, Alsace en sont des exemples.

Servir en digestif — une once nature dans un verre ballon pour en dégager entièrement le bouquet.

Marc à la Cloche, Marc de Bourgogne
40 % Jules Bélin.
Marc de Gewurtztraminer, Alsace France
40 %Gilbert Miclo

Eau-de-vie de vin produite en Grèce, légèrement douce de couleur foncée.

Servir nature — une once dans un ballon pour en dégager entièrement le bouquet. On le sert aussi allongé dans un verre à highball avec de la glace accompagné d'un bâton et d'eau minérale ou de boisson gazeuse.

Metaxa XXXXX Grèce
40 % S.& E. & A. Metaxa

Originaire de France, c'est une eau-de-vie incolore à base de mirabelle qui est une variété de petites prunes.

Se consomme froide, nature — une once dans un verre ballon.

Eau-de-vie de Mirabelle France
50 % G. Miclo Distillateur S.A.
Mirabelle Luzet France
45 % Ets Paul Devoille.

Originaire de la Suisse, c'est une eau-de-vie de poire de la variété Williams. Certaines maisons présentent leur produit dans une bouteille contenant une poire. Pour ce faire lors de la floraison, on suspend des bouteilles aux arbres de façon à ce que le fruit croisse à l'intérieure de la bouteille.

Se déguste généralement froid et nature en digestif — une once dans un verre ballon.

Poire Williams, Eau-de-vie de Poires Canada
40 % Rieder Distr. Ltd.
William Orsat Valais Suisse
42 % Alphonse Orsat S.A.

Eau-de-vie de prune incolore française.

Elle se déguste froide, nature en digestif — une once dans un verre ballon.

Prune Lesgrevil France
40 % Lesgrevil
Quetsch Luzet France
50 % Ets. Paul Devoille
Vieille Prune Luzet France
50 % Ets. Paul Devoille

Originaire des Antilles, c'est le résultat de la distillation du jus de canne à sucre, de sirop de sucre ou mélasse. Généralement, les rhums foncés sont plus corsés et plus doux. Le rhum peut être incolore ou teinté. Il va de l'ambré à l'acajou. On dira qu'il est blanc, ambré ou brun. Le seul colorant que l'on ajoute est le caramel (sucre de canne brûlé) qui n'altère aucunement le goût.

Le servir dans un verre à highball — 1 once 1/4 avec glace et un bâton, généralement accompagné de coca-cola ou de toute autre boisson gazeuse. Certains vieux rhums sont même très agréables nature dans un verre ballon, comme digestif.

Appleton, Capitain Morgan, Kon-Tiki, Lamb's, Maraca, McGuiness, Melville, Montégo, Aviso, Myer's Planter's Punch, Ron Baccardi, Ron Carioca, Tropicana, White Sail, Wood's, St-James, Havana Club.
40 %

Alcool neutre originaire d'Allemagne, il est légère-ment aromatisé soit de cumin, carvi, fenouil, aneth ou coriandre.

Se sert très froid, nature — une once dans un verre à cordial, accompagné généralement d'une bière.

Schnapps allemand Doornkaat Allemagne
40 % Doornkaat A.G.

Eau-de-vie de prune bleue tchécoslovaque, veillie en barrique. De couleur foncée, elle est produite par une double distillation.

Se consomme froide, nature — une once dans un verre ballon.

Plum Brandy. Eau-de-vie de Prune Tchécoslovaque
45 % R. Jelinek Distilleries.

Originaire du Mexique, c'est une eau-de-vie élaborée à partir des sucs fermentés de la sève du cactus « agave ». L'Amérique du Sud nous donne le Mescal : un autre type de téquila où l'on retrouve dans la bouteille un petit ver au dire aphrodisiaque.

Se sert généralement nature — une once dans un verre à cordial. On la consomme avec du sel et de la limette. On l'utilise aussi pour les cocktails dont le Margarita et le Téquila Sunrise.

Téquila El Toro Mexique
40 % American Distilled Spirit Company
Téquila José Cuervo Mexique
40 % Téquila Cuervo S.A.
Téquila Sauza Mexique
40 % Téquila Sauza S.A. de C.V.

Alcool d'origine russe très populaire au Canada. La vodka canadienne est un alcool neutre de grains filtré sur charbon de bois activé pour en enlever toute odeur et goût. Autrefois, la vodka était un alcool de pomme de terre.

Servir 1 once 1/4 sur glace dans un verre à highball avec un bâton accompagné de jus d'orange, ce qui lui mérite le nom de Screwdriver ou encore allongé de boisson gazeuse ou de jus de pamplemousse. En plus d'être utilisé pour de nombreux cocktails, elle peut être consommée d'un seul trait froide dans un verre à cordial. Il est toutefois recommandé de ne pas lancer votre verre derrière l'épaule, comme le voulais jadis la tradition en Russie.

Vodkas importés :

Moskovskaya U.R.S.S.
40 % Sojuzplodoimport
Wodka Wyborowa Pologne
40 % The Polish State Spirits Monopoly
Finlandia, Finlande
40 % Dist. Rajamäki

Vodkas canadiennes :

Alberta, Bolskaya, Gordon's, Grand Duke, Maxi Vodka, McGuinness, Meagher's Dimitri, Melville, Romanoff, De Kuyper, Kamarad, Kamouraska, Smirnoff, Troika, Wolfschmidt.
40 %

Nommé aussi Bourbon Whisky, il est distillé aux Etats-Unis et trouve son origine au Kentucky. Il est produit de maïs et vieilli durant quatre ans. Il n'est pas mélangé pour s'assurer un produit uniforme comme c'est le cas pour le whisky canadien.

Servir 1 once 1/4 de whisky dans un verre à highball avec un bâton, accompagné de boisson gazeuse. On le sert aussi « On the rock » , c'est-à-dire sur glace dans un verre à old fashioned. Il peut être allongé d'eau froide. Il s'emploie aussi pour la préparation des cocktails.

Old Grand-Dad Kentucky Straight Bourdon Whisky Etats-Unis
40 % The Old Grand Dad Distr.
Jack Daniel's Old No 7, Tenessee E.U.
40 % Brow Forman & Jack Daniels

Nommé aussi Rye, c'est le distillat d'un mélange de maïs, d'orge, de seigle et de blé (varie d'une maison de commerce à une autre). Contrairement au Bourdon, il est produit par coupage pour s'assurer un produit uniforme. Il est vieilli durant un minimum de trois ans dans des barils de chêne brûlés. Il est à souligner que le whisky canadien jouit d'une réputation internationale.

Servir de la même manière que le whisky américain.

Black Velvet, Canadian Club, Tradition, McGuinness Silk Tassel, Schenley O.F.C. Crown Royal, Seagram V.O., Wiser's de Luxe.
40 %

Le scotch Whisky s'obtient par la distillation du moût fermenté de céréales. Celui-ci acquiert sa maturation dans des barils de chêne chauffés. Son bouquet fûmé est dû à l'utilisation de feu de tourbe pour sécher l'orge germé. Il existe trois grandes variétés de whisky écossais : le whisky de malt ou Potstill Whisky, le whisky de grain ou Patentstill Whisky et le Blended Scotch Whisky.

Whisky de Malt ou Potstill Whisky

C'est un whisky à base d'orge germé distillé en alambic traditionnel, exemple : le Glenfiddich Straight Malt Grant's.

Whisky de Grain ou Patentstill Whisky :

C'est un whisky à base de seigle, de blé, d'avoine et d'orge germés, distillé dans un alambic à colonnes.

Blended Scotch Whisky :

Celui-ci consiste en un mélange de whisky de malt et un whisky de grain.

Le servir comme le whisky américain.

Ballantine's, Bell's, Black & White, Catto's, Chivas Regal, Cutty Sark, Dewar's, Glenfiddich, Grand Macnish, J. & B., Johnnie Walker, Peter Dawson, St-Léger, Teacher's, Vat 69.
40 %

Il consiste en un mélange de whisky canadien et de whisky écossais.

Le servir comme le whisky américain.

Dunbar's Highland Whisky Canada
40 % John Dunbar Distillers Ltd.

C'est un whisky produit d'une triple distillation dans l'alambic traditionnel, à base d'orge germé ou non, de blé, d'avoine et de seigle. Il est utilisé généralement pour la fabrication de cafés flambés.

Le servir comme le whisky américain

Jameson Irish Whiskey Irlande
40 % John Jameson & Son
Old Bushmills Irish Whiskey Irlande
40 % The Old «Bushmills» Distr. Co. Ltd.

92

Les liqueurs ou cordials.

Ce sont des boissons alcooliques à base d'eau-de-vie ou d'alcool, de sirop de sucre et de substances aromatiques (fruits, plantes, fleurs) qui les caractérisent. Leur pourcentage d'alcool n'est rarement inférieur à 23 %. Leur préparation se fait généralement par une simple macération.

Le service des liqueurs

Toutes les liqueurs peuvent être servies nature dans un verre à cordial ou dans un verre ballon. Il n'en demeure pas moins que plusieurs les apprécient sur glace. Pour ce faire, on versera une once de liqueur sur des glaçons dans un verre à old fashioned que l'on nomme aussi verre à «on the rock».

Si servie frappée, on versera la liqueur sur de la glace concassée dans un verre à cocktail accompagné de deux demi-pailles.

LIQUEURS A BASE D'ANIS

ANISETTE

L'histoire raconte qu'un voyageur, de retour des Indes Occidentales, aurait confié la recette à une bordelaise nommée Marie Brizard. C'est donc une liqueur à base et au goût d'anis très consommée en France et en Espagne. Certaines personnes commandent une Marie Brizard dans les bars, elles désirent ainsi une anisette. La maison Marie Brizard demeure l'une des seules à produire ses liqueurs à base d'éléments naturels contrairement à des essences.

Anisette Canada
25 % La Distr. Meagher Ltée
Anisette France
25 % Marie Brizard France.

Originaire d'Italie, c'est une liqueur au sureau, du latin sabucus arbuste aux fruits rouges ou noirs et parfumée de badiane, sorte d'anis étoilé provenant de Chine ou du Vietnam. En plus de le servir comme les autres liqueurs, il est agréable d'en verser une once dans un verre à sherry ou à cocktail avec trois ou quatre grains de café et de le faire flamber.

Sambuca Maestro Canada
40 % Distilleries Melville
Sambuca Nostra Canada
35 % La distr. Meagher Ltée
Sambuca Ramazzotti Italie
40 % F. Ili Ramazzotti

LIQUEUR À BASE DE CACAO

CRÈME DE CACAO

Elle doit son goût aux fèves de cacao rôties. On retrouve même dans certaines un léger parfum de vanille. On l'utilise pour les cocktails comme les alexanders. Elle se sert aussi de la façon suivante : une once dans un verre à highball avec de la glace, un bâton et allonger de lait ou encore avec un peu de crème à 15 %.

Crème de Cacao
25 % John de Kuyper, Meagher, J.H. Henkes, Melville, Marie Brizard.

LIQUEURS À BASE DE CAFÉ

CRÈME DE CAFÉ

De production canadienne, cette liqueur est obtenue par l'infusion de grains de café dans de l'alcool et sucrée. Grandement utilisée dans la préparation de cafés flambés, on va même à l'allonger avec du lait comme la crème de cacao.

Arabica Canada
25 % Joseph E. Seagram
Café de Paris Canada
25 % McGuinness Distr. Ltd
Café Royal Canada
25 % La distr. Meagher Ltée
Café Espagna
28 % Distr. Melville Ltée

Liqueur de café aromatisée de jus de canne à sucre d'origine jamaïcaine.

Tia Maria Jamaïque
26.5 % Estate Industries Ltd.

C'est une liqueur de café mexicaine.

Kahlua Mexique
26.5 % Kahlua S.A.

LIQUEUR A BASE DE MENTHE

CREME DE MENTHE

C'est une liqueur digestive très populaire de couleur blanche ou verte (additionnée de colorant), dont l'effet rafraîchissant est dû au menthol contenu dans la menthe.

Se sert souvent highball, c'est-à-dire sur glace dans un verre à highball allongée de club soda et accompagnée d'un bâton.

Crème de menthe Canada
25 % Meagher, Henkes, John de Kuyper, McGuinness, Leroux, Fockink, Schenley, Melville, Dumont, Marie Brizard.

LIQUEURS A BASE DE FRUITS

ABRICOT

C'est une liqueur à base d'abricot macéré , de couleur ambrée foncée. Elle possède en plus du goût d'abricot une légère saveur d'amande, ceci dû aux noyaux.

Apricot Brandy Canada
25 % La Distr. Meagher
Apricot Brandy Canada
25 % John de Kuyper & Fils Ltée
Brandy d'abricot Canada
25 % J.H. Henkes
Liqueur de Brandy à l'abricot Canada
23 % Schenley.

C'est une liqueur à base de banane d'origine hollandaise.

Crème de bananes Bols Hollandes
24 % Bols Royal Distilleries.

Originaire de la France, c'est une liqueur rouge foncée, sucrée, faite avec des baies de cassis macérées dans de l'eau-de-vie. On le prend en apéritif mélangé avec du vin blanc : 1/5 de cassis pour 4/5 de vin blanc selon la recette du Chanoine Kir, ancien maire de la ville de Dijon en France. Mais avant de lui donner le nom de Kir, il était connu sous le nom de rince-cochon. Il était élaboré à base de vin d'appellation Bourgogne Aligoté.

Crème de Cassis, Chanoine de Dijon Canada
23 % Distr. Dumont Ltée
Crème de Cassis de Dijon France
23 % Lejay-Lagoute
**Double Crème de Cassis
de Bourgogne, France**
23 % Jacques de la Pallue.

Liqueur obtenue par la macération de cerises provenant de divers pays.

Cherry Brandy Canada
25 % La distr. Meagher
Cherry Brandy Canada
25 % Distr. Melville Ltée
Cherry Marnier, Triple Cerise France
24 % Marnier-Lapostolle
Cherry Heering Danemark
24.7 % Peter Heering
Luxarde Maraschino Italie
32 % Girolano

C'est une liqueur obtenue en faisant macérer des citrons dans du gin. Il est peu recommandé de le consommer nature. En général, il est servi 1 once 1/4 sur glace allongé de Seven-Up ou de Better Lemon.

Lemon Gin Collins Canada
35 % Gilbey Canada Inc.

C'est une liqueur à base de fraise et est un excellent digestif. La fraise peut être utilisée pour faire un très bon Kir Impérial, si vous osez remplacer le vin blanc par un mousseux ou un véritable champagne.

Crème de fraises France
25 % Lejay Lagoutte.

C'est une liqueur à base de framboise. Comme la fraise, il est très agréable à prendre comme digestif ou dans l'élaboration d'un Kir, qui portera le nom de Kir Royal — framboise et champagne.

Doulce France, Liqueur de framboise France
35 % Ets. Paul Devoille.

C'est une liqueur française aux fruits de la passion et d'armagnac.

La Grande Passion France
24 % Marnier Lapostolle

C'est une liqueur assez récente de couleur verte à base de kiwi.

Liqueur Kiwi Original Canada
25 % Distr. Melville Ltée

Originaire de Belgique, c'est une liqueur dorée et douce à base d'écorce de mandarines.

Mandarine Napoléon Belgique
38 % Ets. Fourcroy S.A.
Mandarine Royale Canada
25 % John de Kuyper.

LIME

C'est une liqueur créée par Paul Monin à base de citron, de limette et de cognac. Elle se sert très bien highball, c'est-à-dire dans un verre du même nom — une once de liqueur sur glace allongée de club soda.

Monin Original Triple Lime France
33 % Georges Monin

C'est une liqueur à base de melon de couleur verte qui possède un goût particulier.

Midori Liqueur original de melon Japon
23 % Suntory Limited
Liqueur de melon Canada
25 % J.H. Henkes

Cointreau : *C'est une liqueur français, de type triple-sec produite à Angers (France) et aux Etats-Unis par la famille Cointreau.*

Curaçao : *C'est une liqueur d'origine hollandaise à base d'écorces d'oranges de l'Ile de Curaçao. Certains curaçaos sont bruns du fait qu'ils sont fabriqués d'écorces d'oranges grillées. On doit prononcer cu-rasso et non cu ra ca o.*

Grand Marnier : *C'est une liqueur française produite avec des écorces d'oranges amères macérées et du cognac d'appellation Fine Champagne.*

Kanata : *C'est une liqueur canadienne à base de whisky canadien et d'orange.*

Triple sec : *C'est une liqueur de type curaçao, incolore et sucrée. Elle est produite avec des écorces* *d'oranges amères de Curaçao à laquelle on a ajouté de l'eau de fleur d'oranger, du néroli et de la racine d'iris. Elle est grandement utilisée pour aromatiser les cocktails.*

Cointreau France
40 % Les Distilleries Cointreau

Cusenier Orange France
40 % Cusenier

Frères Jacques Matines Triples Oranges Canada
40 % Les Distilleries Dumont

Grand Curaçao Canada
35 % La Distr. Meagher Ltée

Grand Marnier France
39,8 % Marnier Lapostolle

Kanata
35 % Melchers Inc.

Triple Sec Canada
35 % Melville, De Kuyper. Distr. Meagher Ltée.

C'est une liqueur canadienne à base de pêche.

Peach Brandy Canada
25 % La Distr. Meagher Ltée.
Peachtree Schnapps Canada
25 % John de Kuyper

C'est une liqueur française à base de poire de la variété William.

Poire William France
30 % Marie Brizard France
B.C. William's France
35 % Ets Paul Devoille
Poire au Cognac Liqueur
J.R. Brillet

Liqueur à base de pomme et schnapps d'origine canadienne.

Apple Barrel Schnapps Canada
25 % John De Kuyper

C'est une liqueur française produite avec des écorces d'oranges amères macérées et de l'armagnac.

Pousse Rapière France
36 % Sica monluc

Prugnac : *C'est une liqueur française obtenue par la macération de prunelles dans l'armagnac.*

Prunelle de Bourgogne : *Produite avec le fruit du prunellier, macérée dans l'alcool.*

Sloe gin : *Liqueur obtenue par la macération de prunelles dans du gin; sloe signifie prunelle en français.*

Prugnac France
37 % Lejay Lagoute

Prunelle de Bourgogne France
30 % Morin Père et Fils

Prunelle de Bourgogne France
25 % Védrenne Père & Fils

Prunelle de Bourgogne Fine Tourelle Canada
25 % Distr. Dumont Ltée

Prunella de Bourgogne, Prunella Canada
25 % Distr. Melville Ltée

Morris's Sloe Gin Canada
25 % La Distr. Meagher Ltée

Originaire d'Israël, c'est une liqueur au chocolat, à l'orange et à la menthe.

Sabra Israël
30 % International Distr. of Israël Ltd.

DIVERS FRUITS

SOUTHERN CONFORT

Liqueur américaine, élaborée de whisky et parfumée au citron et à la pêche.

Southern Confort Canada
40 % La Dist. Meagher Ltée.

LIQUEURS A BASE D'HERBES

B and B

C'est une liqueur résultant d'un mélange de Bénédictine et de Brandy.

B and B, D.O.M. France
40 % Bénédictine S.A.

Cette liqueur est née aux environs de l'an 1510 au Monastère des Bénédictins de Fecamp dans le but de redonner vigueur aux moines fatigués. Depuis plusieurs années, il n'existe plus aucun rapport avec les bénédictins sauf les initiales D.O.M. (ce qui signifie : «A Dieu très bon, très grand»). Cette liqueur est fabriquée d'eau-de-vie de vin et de nombreuses épices comme la mélisse, arnica, hysope, cheveux de Vénus, vanille, canelle, myrrhe, coriandre, noix de muscade artémise, safran, fleur de muscade, et sa recette demeure toujours secrète.

Bénédictine, D.O.M. France
40 % Bénédictine

Produite par les moines chartreux, elle est composée d'eau-de-vie de vin et de plantes aromatiques ; comme la Bénédictine, la recette est toujours tenue secrète.

On produit deux chartreuses : une verte plus forte et une jaune plus douce et moins alcoolisée.

Chartreuse (jaune) France
40 % L. Garnier (Chartreuse Diffusion)
Chartreuse (verte) France
55 % L. Garnier (Chartreuse Diffusion).

C'est une liqueur écossaise, préparée à partir de scotch, de miel, de bruyère et d'herbes.

Drambuie Ecosse
40 % The Drambuie Liqueur Co. Ltd

*C'est une liqueur italienne de couleur jaune, fabri-
quée à partir d'herbes. À l'intérieur de la bouteille, on
retrouve une petite branche de buisson avec des cris-
taux de sucre.*

Fior D'Alpe, Mille fiori, Italie
46 % Isolabella.

C'est une liqueur italienne jaune or, présentée dans une longue bouteille préparée avec des herbes et des fruits comme la pêche, la vanille et l'anis. Elle est utilisée pour préparer un cocktail du nom de Harvey WallBanger. C'est une vodka additionnée de jus d'orange et d'un peu de galliano.

Liquore Galliano Italie
35 % Distr. Riunite di Liquori.

C'est une liqueur écossaise qui s'apparente beaucoup au Dramuie, fabriquée aussi de scotch, de miel et d'épices.

Glayva Ecosse
40 % Ronald Morrison & Co. Ltd.

Liqueur irlandaise, elle est fabriquée de whisky irlandais, de miel et d'épices.

Irish Mist Irlande
35 % Irish Mist Liqueur Co. Ltd.

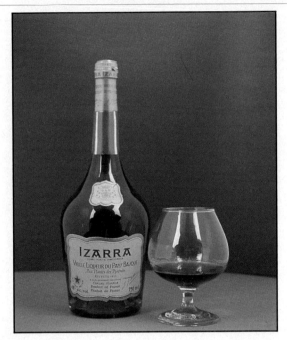

C'est une liqueur française fabriquée d'armagnac, de miel et d'épices.

Izarra, vieille liqueur du Pays Basque France
48 % Izarra.

C'est une liqueur de couleur violette, d'origine française. Elle est produite à base d'épices dont, la canelle.

Parfait Amour France
25 % Marie Brizard France.

C'est une liqueur italienne douce de couleur jaune, dont le nom signifie sorcière en italien. Elle est produite à base d'herbes.

Liquore Stréga Italie
40 % Stréga Alberte S.p.A.

C'est une liqueur française à base de verveine, d'eau-de-vie de vin et d'autres herbes.

Verveine au Brandy France
43 % Pagès
Verveine du Velay France
50 % Pagès.

LIQUEURS DIVERSES

AMARETTO

Originaire d'Italie, cette liqueur est produite avec l'amande du noyeau d'abricot. Elle a donné naissance à d'autres liqueurs telles l'Amaretto-Cognac et le Coconut Amaretto.

Amaretto di Saronne Italie
28 % Illva Saronno

Amande Bel Paese Canada
25 % La Distr. Meagher Ltée

Amandine Canada
25 % Joseph E. Seagram & Sons Ltée

Amaretto Liqueur d'Amande Canada
28 % J.H. Hences

Amaretta da Vinci Canada
25 % Distr. Dumont Ltée

Amaretto Monalisa Canada
25 % Distr. Melville Ltée

Amaretto & Cognac Canada
25 % Hiram Walker & Fils

Coconut Amaretto Canada
25 % John de Kuyper & Fils Ltée

Canadienne
Crème de choix, whisky canadien aromatisé au chocolat, caramel et café entre autres.

Française

Crème de Normandie mélangée à la liqueur de Grand-Marnier.

Irlandaise
Crème fraîche d'Irlande et whisky irlandais parfumé de chocolat.

Crème de Chez-Nous Canada
17 % Schenley Canada Inc.
Crème des Cantons Canada
17 % La Distr. Meagher Ltée

Crème Royale Canada
17 % La Distr. Dumont Ltée
Crème de Grand-Marnier France
17 % Marnier Lapostolle
Bayleys, Boisson irlandaise à la Crème Irlande
17 % R. & A. Bailey & Co. Ltd.
Mozart, Boisson aux nougats et chocolat Autrichien
20 % Ges. M.B.H., Slazburg/Autria

Ce sont des liqueurs à base de noix de coco et de rhum blanc.

Don Ricardo Canada
30 % Distr. Dumont Ltée
Malibu
28 % Palisser Distillers Ltée
Roncoco Canada
30 % Roncoco Canada Inc.

Liqueur canadienne à base de produit de l'érable.

Liqueur d'Erable Canada
25 % J.H. Henkes

La bière

Connue depuis la plus haute antiquité, son origine serait de la Mésopotamie et de l'Égypte. La bière est une boisson alcoolique obtenue par la fermentation d'une infusion de malt d'orge et de houblon dans de l'eau potable.

Les différents types de bières:

Ale   Bière fermentée à une température élevée, ses levures montent en surface après sa fermentation. On utilise d'avantage de houblon pour sa fabrication. Il en résulte donc qu'elle possède plus de corps et est plus amère.

Block   Les Américains ont lancé ce type de bière qui est produite au printemps. On prétend qu'elle serait fabriquée avec les sédiments que l'on retrouve dans les cuves de fermentation.

Bière de riz   Fabriquée de malt d'orge et de riz.

Lager   Elle est plus légère et contrairement à la Ale, les levures descendent au fond de la cuve après la fermentation. Cette bière est à forte teneur en gaz carbonique.

Liqueur de malt   Elle est produite de la fermentation alcoolique d'une infusion de malt d'orge et de houblon ou d'extraits de houblon dans de l'eau potable. Son degré d'alcool est supérieur aux autres bières.

Pilsener   Type de Lager originaire de la ville de Pilsen en Tchécoslovaquie. On la sert habituellement dans une flûte à pilsen communément appelée flûte à bière.

Porter   Type de Ale ayant une mousse riche et abondante, elle est fabriquée avec du malt d'orge torréfié, ce qui lui donne par conséquent une couleur très foncée.

Pression ou en fût Bière non pasteurisée, on la sur-nomme « DRAF ». Il est à noter que l'on retrouve maintenant depuis quelques années des bières pressions importées qui sont par conséquent pasteurisées.

Stout C'est une Ale très foncée et sucrée dont le goût d'orge et de houblon est plus prononcé.

Boisson à la bière Vendue sous le nom de commerce TWISTSHANDY, c'est une boisson très rafraîchissante qui s'apparente grandement à un cocktail très populaire chez les golfeurs, le « Shandy gaff » qui consiste en un mélange de bière et de ginger beer dans les proportions suivantes : trois bières pour un ginger beer.

La chope et la flûte sont recommandées pour la servir. On recommande de la servir à une température d'environ 40 à 50 degrés Farenheit. Si elle est plus froide, elle perd de sa saveur et de son effervescence. De plus, on recommande de faire un « collet » en la servant, ce qui permet à une partie du gaz carbonique de s'échapper, de la rendre plus facile à digérer et meilleure au goût.

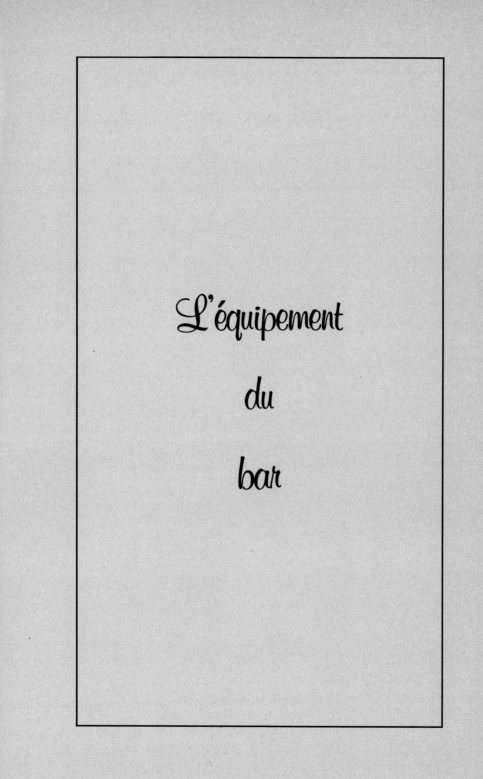

L'équipement

du

bar

La verrerie

Il est important de servir les boissons dans des verres appropriés. Nul besoin d'utiliser une verrerie de toute première qualité, on optera pour des verres élégants de belle forme que l'on retrouve, aussi bien dans les maisons spécialisées que chez les fournisseurs d'équipement hôtelier et de restaurant qui nous offrent une vaste gamme de modèles standards.

La verrerie

1. Verre à cocktail double
2. Verre à cocktail
3. Verre à sherry
4. Verre à gimlet ou champagne
5. Verre à mesurer
6. Verre à cordial ou poney
7. Verre à old fashioned
8. Verre à old fashioned avec pied
9. Verre à sour.

10. Verre-ballon à bec verseur
11. Verre-ballon à dégustation
12. Verre à café flambé
13. Verre à eau
14. Verre à highball
15. Verre à collins
16. Verre à zombie

17. Flûte à bière ou pilsener
18. Verre à bière sur pied
19. Verre à bière
20. Mug
21. Bock à bière

Le matériel divers

1. Shaker de métal
2. Verre à mélanger
3. Entonnoir
4. Salière, poivrière
5. Pot à eau
6. Passoire (strainer)
7. Limonadier
8. Marteau-pilon
9. Cuillère à mélanger
10. Pic à glace
11. Couteau à fruit
12. Cuillère à thé
13. Décapsuleur
14. Planche à fruit
15. Pelle à glace
16. Pince à glace
17. Presse-limette
18. Contenant à fruit
19. Serviette à cocktail
20. Bouchon à bec verseur
21. Sous-verre
22. Pic à cocktail
23. Flèche ou bâton
24. Paille et demi-paille

25. Concasseur à glace
26. Extracteur de jus
27. Mélangeur électrique
28. Chauffe-cognac
29. Tamis

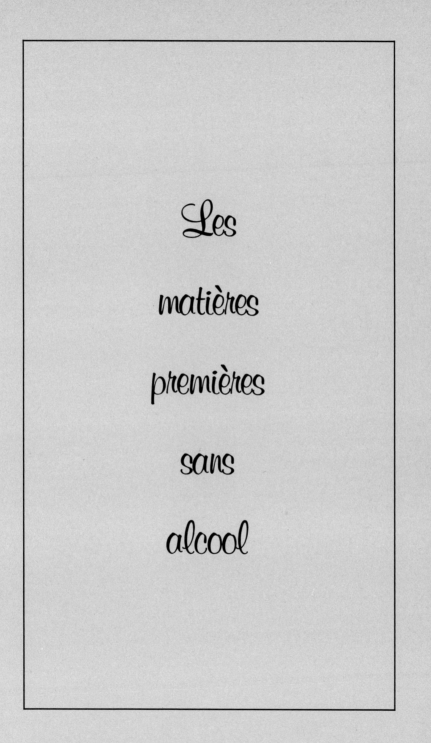

Les

matières

premières

sans

alcool

Les matières premières sans alcool

Fruits et légumes

céleri
cerise rouge
citron
limette
oignon à cocktail
olive à cocktail
orange

Jus et sirops

jus de citron
jus d'orange
jus de tomate
jus de tomate et palourdes (Clamato)
jus d'ananas
jus de pamplemousse

sirop de grenadine
sirop de cassis
sirop de menthe

crème de coco (Coco Lopez)

Condiments

angostura bitter
bâton de canelle
clou de girofle
muscade
sauce anglaise (Worcestershire Sauce)
sel, poivre
sucre granulé très fin (sucre à fruits)
tabasco
sel de céleri
grain de café entier

Produits laitiers

crème à 15 %
lait
oeuf

Boissons gazeuses et minérales

cola
incola
ginger ale
ginger beer
club soda
tonic water
bitter lemon
vichy
perrier
montclair

Recette de jus de citron frais

Matériel :

planche à fruit
couteau à fruit
extracteur de jus
tamis
entonnoir
bouteille vide de format 25 onces
verre à mélanger
shaker de métal

Ingrédients et quantités :

18 onces de jus de citron frais
2 blancs d'oeuf
5 onces d'eau froide
de la glace

Méthode de réalisation :

À l'aide de la planche et du couteau à fruit, couper les citrons en deux.

Extraire le jus et passer celui-ci au tamis.

Réserver.

Placer dans le verre à mélanger les blancs d'oeuf, l'eau et quelques glaçons.

Brasser à l'aide du shaker et incorporer au jus de citron.

Remarques :

Garder au réfrigérateur
Conservation maximum : deux (2) jours.
Agiter avant d'utiliser.

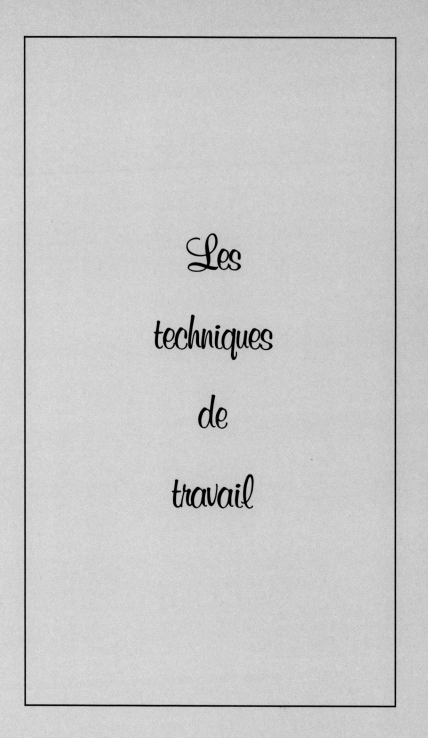

Les

techniques

de

travail

La préparation des décorations

Méthode de découpage pour obtention de demi-tranches de citron et d'orange :

1. Placer le citron sur la planche à fruit.
2. À l'aide du couteau à fruit, couper les deux extrémités.

3. Placer le fruit à la verticale et couper en deux.

4. Couper la demie du citron en tranches d'environ un quart de pouce.

Méthode pour préparer le zeste du citron :

À l'aide du couteau à fruit, couper une partie de l'écorce d'environ un pouce de long par un demi-pouce de large en prenant soin de ne pas atteindre la pulpe.

Utilisation du zeste de citron :

Une fois le zeste préparé, avant de le laisser tomber dans le verre pour le garnir, on se doit de le presser pour en extraire l'huile.

Technique pour givrer un verre, ici l'on givrera avec du sel pour préparer un verre comme le demande la recette de Margarita.

Humecter le rebord de la coupe à champagne à l'aide d'une demi-tranche de citron.

Ayant pris soin de déposer du sel dans une assiette, l'on place le rebord du verre préalablement humecté dans le sel en le retournant de manière à éviter que le sel n'adhère à l'intérieur du verre.

Méthodes d'exécution pour la confection des cocktails

Mélange remué à la cuillère :

Préparation d'un Sweet Manhattan

1. **Après avoir sélectionné le verre approprié, le placer sur de la glace pour le refroidir (à moins de l'avoir placé préalablement au réfrigérateur).**
2. **Mettre de la glace dans le verre à mélanger et déposer celui-ci sur le bar.**

3. **Verser une goutte d'angostura bitter sur la glace.**

4. **Empoigner la bouteille de vermouth italien par le goulot et verser 3/4 d'once dans le verre à mesurer. Verser ensuite dans le verre à mélanger.**

5. Répéter la même opération, mais cette fois-ci en versant 1 3/4 once de whisky canadien.

6. À l'aide de la cuillère à mélanger, remuer le cocktail en prenant soin de tenir la base du verre à mélanger, évitant ainsi de le renverser.

7. Appliquer la passoire (strainer) sur le verre à mélanger.

165

8. Après avoir retiré le verre de la glace ou du réfrigérateur, passer le cocktail, d'abord lentement, puis rapidement et lentement à la fin, ce qui évitera d'en répandre.

9. Décorer le verre d'une cerise et d'un pic.
10. Servir sur un sous-verre en prenant soin de ne pas placer vos doigts sur la paroi du verre.

Mélange brassé :

Préparation d'un Whisky Sour :

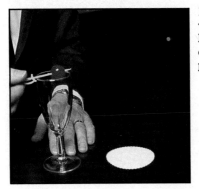

1. **Après avoir sélectionné le verre approprié, le déposer sur le bar et y apposer sa décoration, ici une cerise et un pic.**

2. **Prendre le verre à mélanger de la main gauche. Avec la main droite, prendre la bouteille de base de jus de citron et verser 1 1/4 once.**

3. **Ajouter une cuillère à thé de sucre à fruit.**

167

4. Ajouter de la glace à l'aide de la pelle.

5. Empoigner la bouteille de whisky canadien et verser 1 1/4 once dans le verre à mesurer. Verser ensuite dans le verre à mélanger.

6. À l'aide de la main gauche, appliquer le shaker de métal de manière à former une ligne droite continue du côté de la main gauche, le fermer en vissant légèrement.
7. Rabattre le shaker vers le bas permettant à la main droite d'avoir prise sur l'arrière.

8. Brasser vigoureusement de manière à ce que la glace puisse faire un mouvement de va-et-vient en frappant les deux extrémités du shaker.

9. Une fois le mélange bien remué, rabattre le shaker vers le bas et porter la main droite sur le côté du shaker qui forme une ligne droite.

10. Remonter la main gauche pour empoigner le shaker du côté convexe.

11. Frapper sur la partie droite du shaker avec la paume de la main, pour séparer les deux parties.

12. Appliquer par la suite la passoire (strainer) sur le shaker de métal.

13. Passer le cocktail dans le verre préalablement décoré et verser d'abord lentement, plus rapidement, et lentement à la fin, évitant ainsi d'en répandre.

14. Servir sur un sous-verre en prenant soin de ne pas placer les doigts sur la paroi du verre.

170

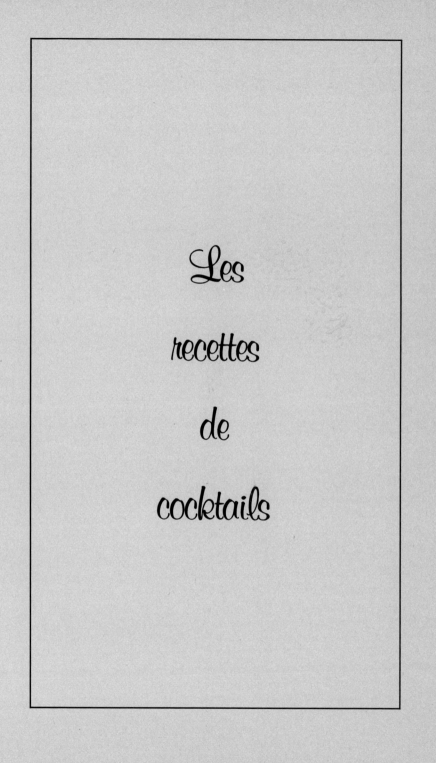

Les

recettes

de

cocktails

Liste des boissons les plus fréquemment utilisées dans l'élaboration des différents cocktails

- Brandy
- Cognac
- Crème de cacao
- Crème de menthe blanche
- Crème de menthe verte
- Dry gin
- Rhum blanc
- Rhum brun
- Rye (Whisky canadien)
- Scotch (Whisky écossais)
- Sloe gin
- Triple sec
- Vermouth français (blanc)
- Vermouth italien (rouge)
- Vodka

Légende des recettes de cocktails

Cerise

Olive à cocktail

Oignon à cocktail

Saupoudrer de muscade

Zeste de citron

1/2 tranche de citron

1/2 tranche de limette

1/2 tranche d'orange

Pic à cocktail

Bâton

Pailles

Ananas

Mélange servis sur glace

Mélange brassé

Mélange remué

Mélange servi sans glace

Mélange servi chaud

Mug

Verre à champagne

Verre à cocktail

Verre à collins

Verre à cordial

Verre à highball

Verre à old fashioned

Verre à sherry

Verre à sour

Verre à zombie

177

Mélanges à base de brandy et de cognac

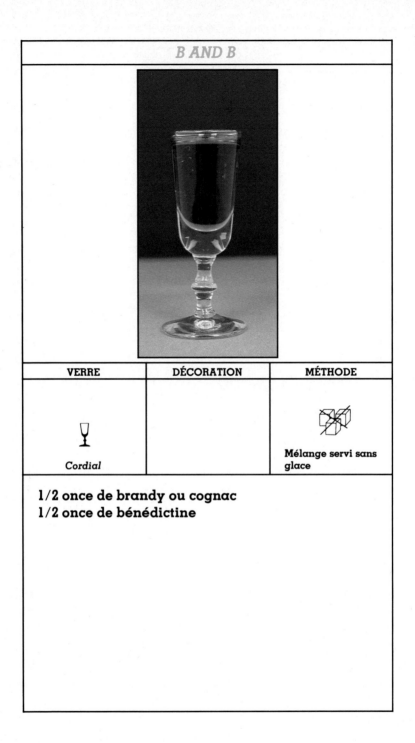

VERRE	DÉCORATION	MÉTHODE
Cordial		Mélange servi sans glace

1/2 once de brandy ou cognac
1/2 once de bénédictine

BRANDY ALEXANDER

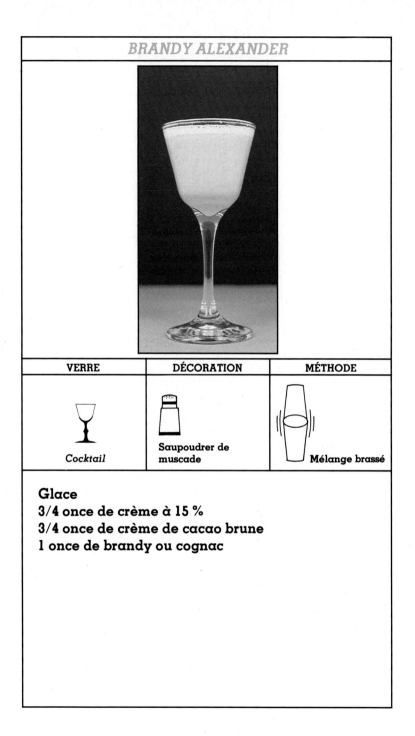

VERRE	DÉCORATION	MÉTHODE
Cocktail	Saupoudrer de muscade	Mélange brassé

Glace
3/4 once de crème à 15 %
3/4 once de crème de cacao brune
1 once de brandy ou cognac

BRANDY EGG-NOG

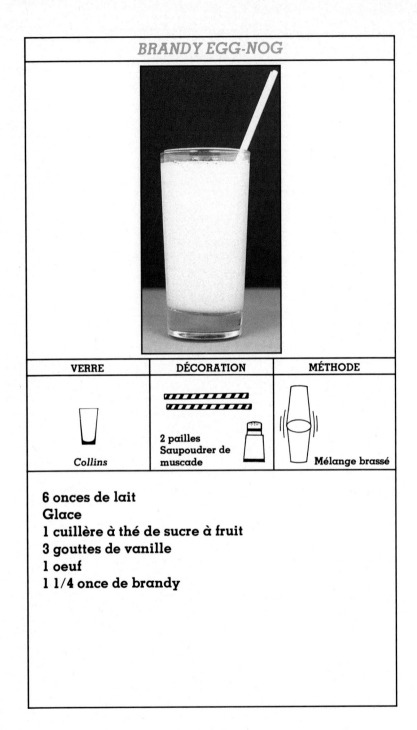

VERRE	DÉCORATION	MÉTHODE
Collins	2 pailles Saupoudrer de muscade	Mélange brassé

6 onces de lait
Glace
1 cuillère à thé de sucre à fruit
3 gouttes de vanille
1 oeuf
1 1/4 once de brandy

BRANDY FLIP

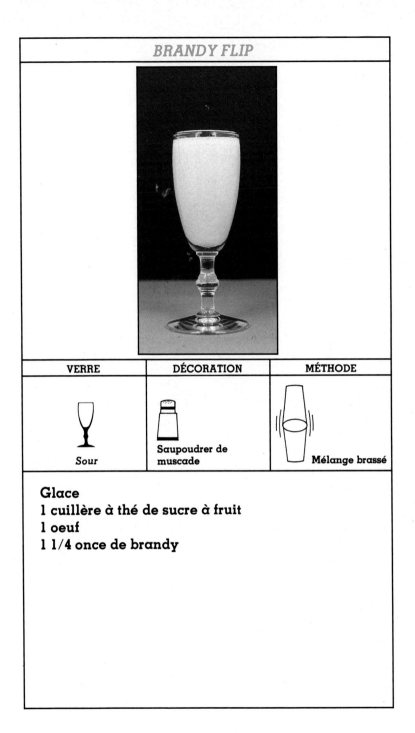

VERRE	DÉCORATION	MÉTHODE
Sour	Saupoudrer de muscade	Mélange brassé

Glace
1 cuillère à thé de sucre à fruit
1 oeuf
1 1/4 once de brandy

COCO COGNAC

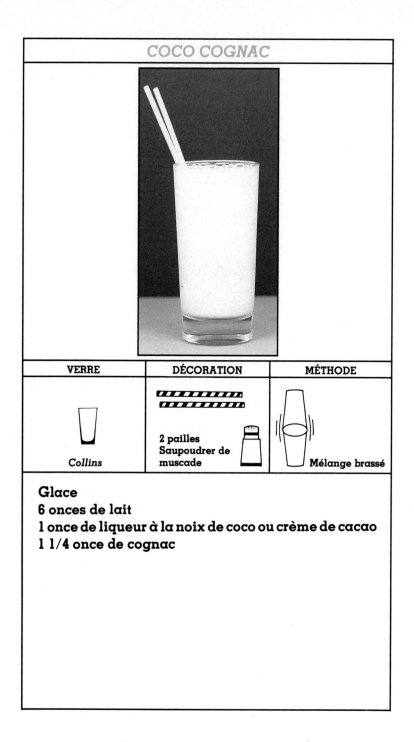

VERRE	DÉCORATION	MÉTHODE
Collins	2 pailles Saupoudrer de muscade	Mélange brassé

Glace
6 onces de lait
1 once de liqueur à la noix de coco ou crème de cacao
1 1/4 once de cognac

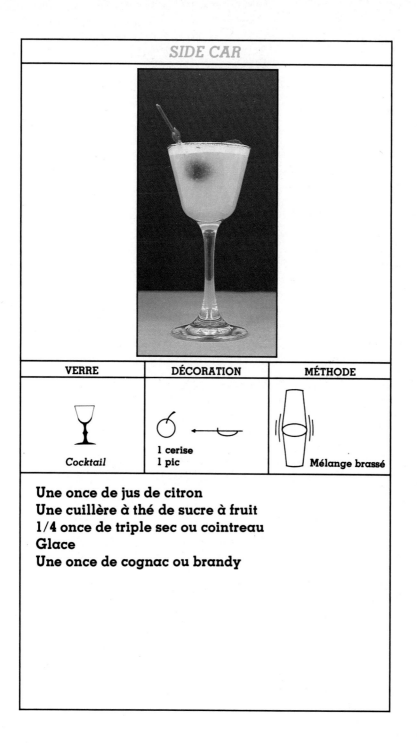

VERRE	DÉCORATION	MÉTHODE
Cocktail	1 cerise 1 pic	Mélange brassé

Une once de jus de citron
Une cuillère à thé de sucre à fruit
1/4 once de triple sec ou cointreau
Glace
Une once de cognac ou brandy

STINGER

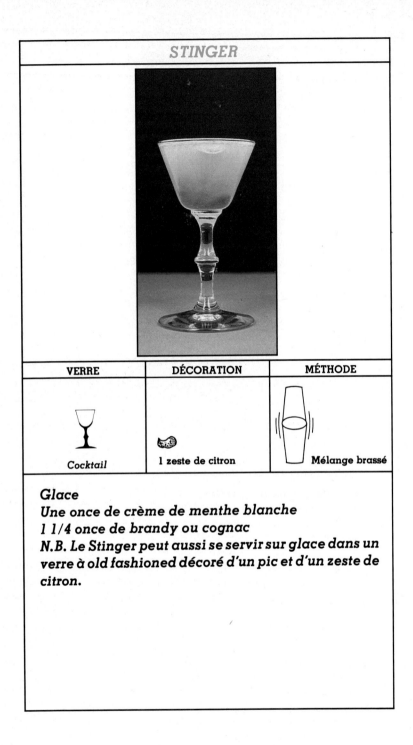

VERRE	DÉCORATION	MÉTHODE
Cocktail	1 zeste de citron	Mélange brassé

Glace
Une once de crème de menthe blanche
1 1/4 once de brandy ou cognac
N.B. Le Stinger peut aussi se servir sur glace dans un verre à old fashioned décoré d'un pic et d'un zeste de citron.

Mélanges à base de dry gin et de genièvre

BRONX COCKTAIL

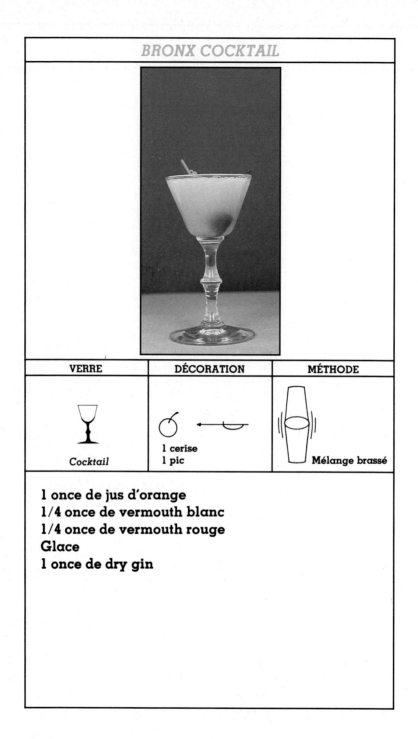

VERRE	DÉCORATION	MÉTHODE
Cocktail	1 cerise 1 pic	Mélange brassé

1 once de jus d'orange
1/4 once de vermouth blanc
1/4 once de vermouth rouge
Glace
1 once de dry gin

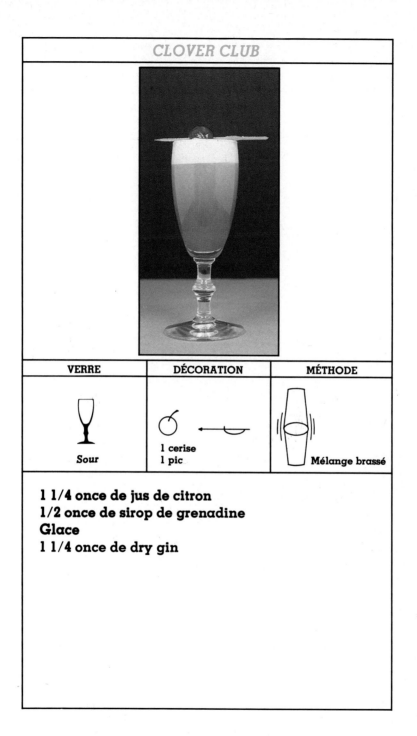

VERRE	DÉCORATION	MÉTHODE
Sour	1 cerise 1 pic	Mélange brassé

1 1/4 once de jus de citron
1/2 once de sirop de grenadine
Glace
1 1/4 once de dry gin

DUBONNET COCKTAIL

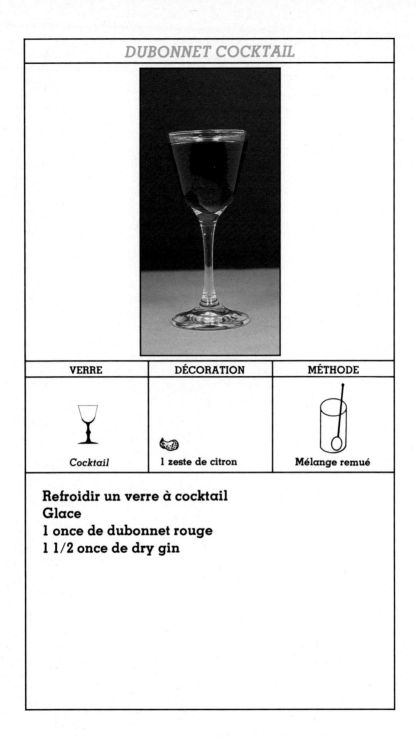

VERRE	DÉCORATION	MÉTHODE
Cocktail	1 zeste de citron	Mélange remué

Refroidir un verre à cocktail
Glace
1 once de dubonnet rouge
1 1/2 once de dry gin

FRENCH SEVENTY FIVE

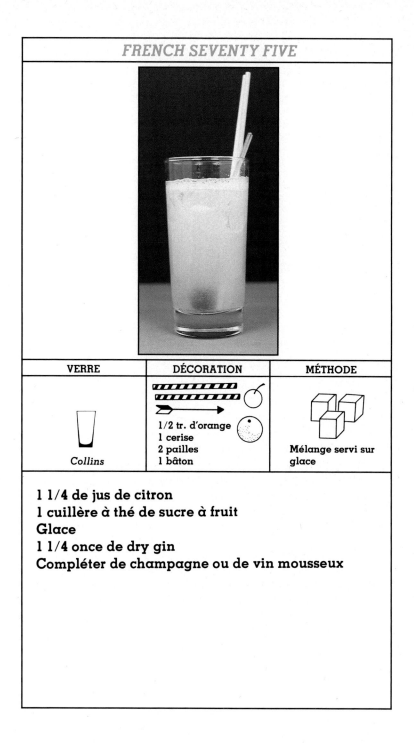

VERRE	DÉCORATION	MÉTHODE
Collins	1/2 tr. d'orange 1 cerise 2 pailles 1 bâton	Mélange servi sur glace

1 1/4 de jus de citron
1 cuillère à thé de sucre à fruit
Glace
1 1/4 once de dry gin
Compléter de champagne ou de vin mousseux

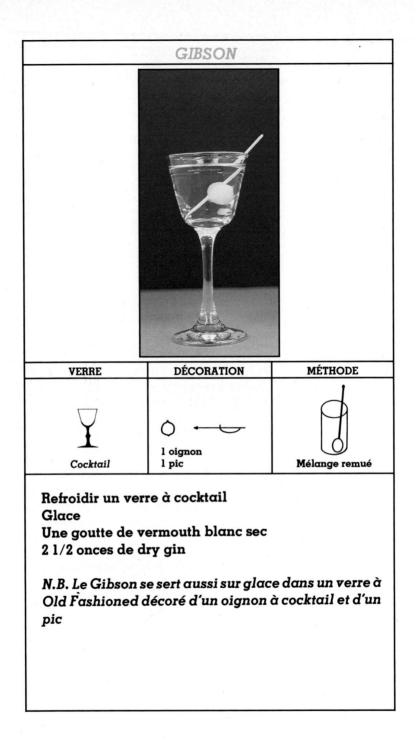

VERRE	DÉCORATION	MÉTHODE
Cocktail	1 oignon 1 pic	Mélange remué

Refroidir un verre à cocktail
Glace
Une goutte de vermouth blanc sec
2 1/2 onces de dry gin

N.B. Le Gibson se sert aussi sur glace dans un verre à
Old Fashioned décoré d'un oignon à cocktail et d'un
pic

GIN ALEXANDER

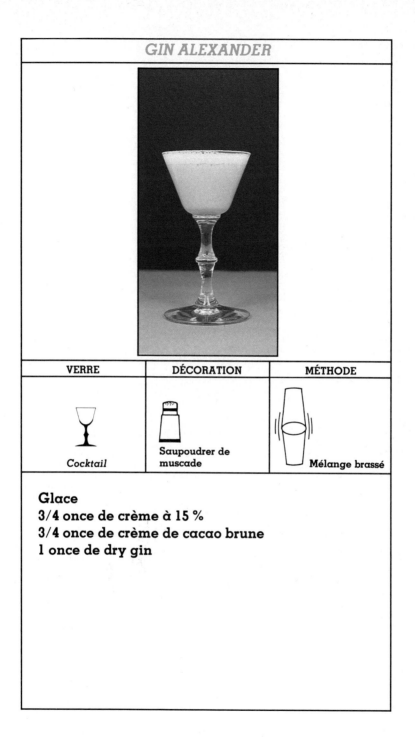

VERRE	DÉCORATION	MÉTHODE
Cocktail	Saupoudrer de muscade	Mélange brassé

Glace
3/4 once de crème à 15 %
3/4 once de crème de cacao brune
1 once de dry gin

GIN AND IT

VERRE	DÉCORATION	MÉTHODE
Old fashioned	1 zeste de citron 1 pic	Mélange servi sur glace

Glace
3/4 once de vermouth rouge
1 3/4 once de dry gin

GIN FIZZ

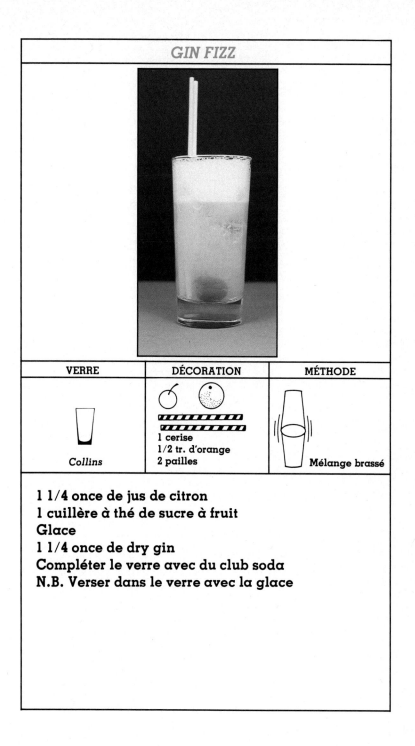

VERRE	DÉCORATION	MÉTHODE
Collins	1 cerise 1/2 tr. d'orange 2 pailles	Mélange brassé

1 1/4 once de jus de citron
1 cuillère à thé de sucre à fruit
Glace
1 1/4 once de dry gin
Compléter le verre avec du club soda
N.B. Verser dans le verre avec la glace

GIN GIMLET

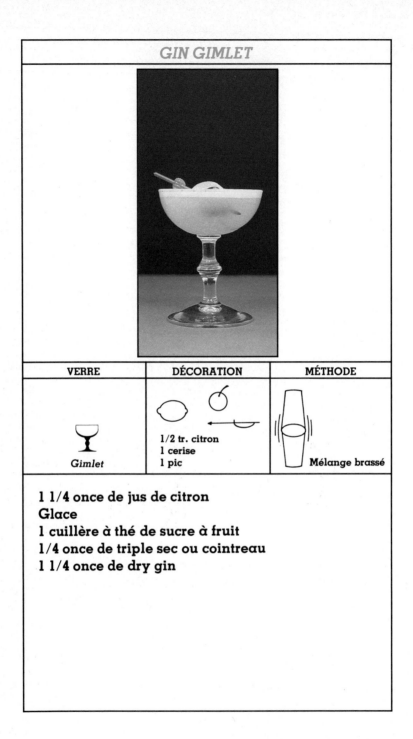

VERRE	DÉCORATION	MÉTHODE
Gimlet	1/2 tr. citron 1 cerise 1 pic	Mélange brassé

1 1/4 once de jus de citron
Glace
1 cuillère à thé de sucre à fruit
1/4 once de triple sec ou cointreau
1 1/4 once de dry gin

HOT GIN (Grog)

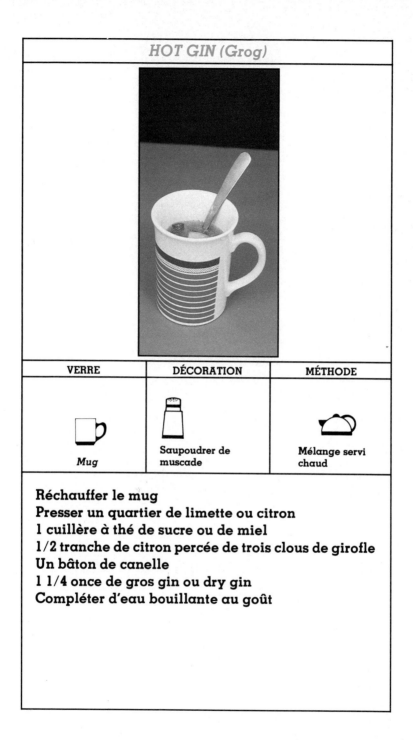

VERRE	DÉCORATION	MÉTHODE
Mug	Saupoudrer de muscade	Mélange servi chaud

Réchauffer le mug
Presser un quartier de limette ou citron
1 cuillère à thé de sucre ou de miel
1/2 tranche de citron percée de trois clous de girofle
Un bâton de canelle
1 1/4 once de gros gin ou dry gin
Compléter d'eau bouillante au goût

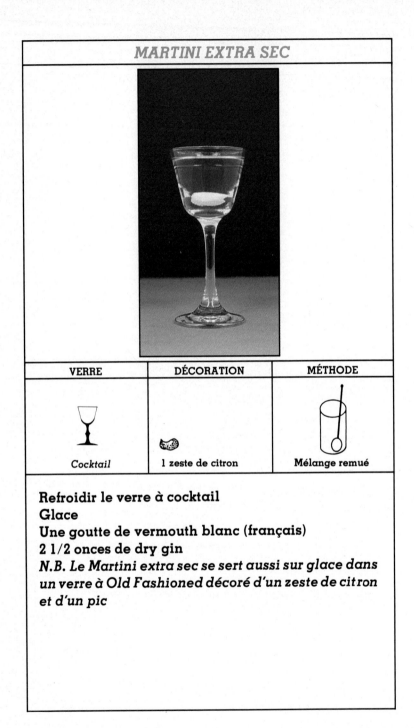

VERRE	DÉCORATION	MÉTHODE
Cocktail	1 zeste de citron	Mélange remué

Refroidir le verre à cocktail
Glace
Une goutte de vermouth blanc (français)
2 1/2 onces de dry gin
N.B. Le Martini extra sec se sert aussi sur glace dans un verre à Old Fashioned décoré d'un zeste de citron et d'un pic

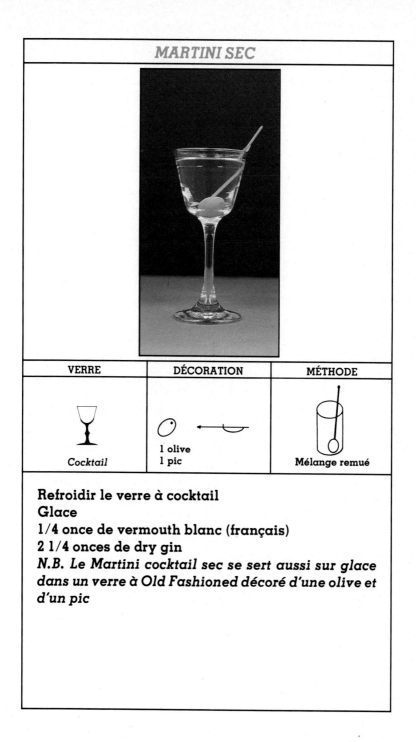

VERRE	DÉCORATION	MÉTHODE
Cocktail	1 olive 1 pic	Mélange remué

Refroidir le verre à cocktail
Glace
1/4 once de vermouth blanc (français)
2 1/4 onces de dry gin
N.B. Le Martini cocktail sec se sert aussi sur glace dans un verre à Old Fashioned décoré d'une olive et d'un pic

NEGRONI

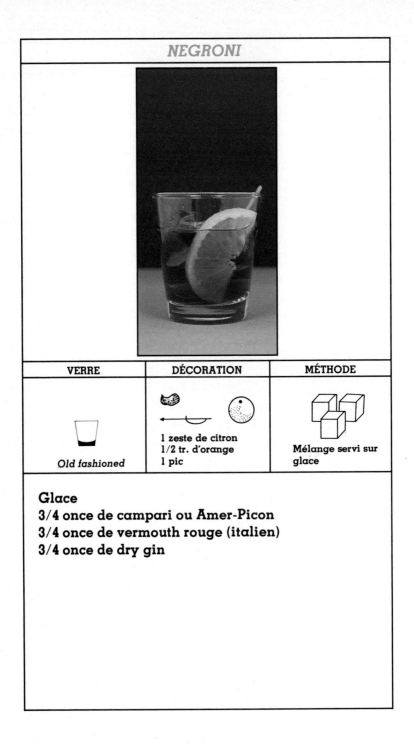

VERRE	DÉCORATION	MÉTHODE
Old fashioned	1 zeste de citron 1/2 tr. d'orange 1 pic	Mélange servi sur glace

Glace
3/4 once de campari ou Amer-Picon
3/4 once de vermouth rouge (italien)
3/4 once de dry gin

ORANGE BLOSSOM

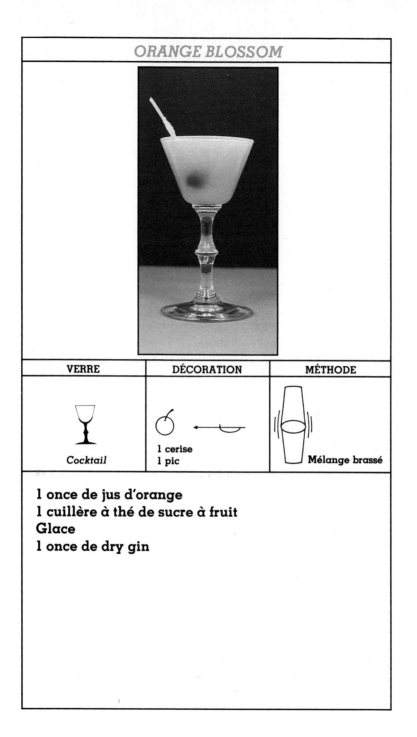

VERRE	DÉCORATION	MÉTHODE
Cocktail	1 cerise 1 pic	Mélange brassé

1 once de jus d'orange
1 cuillère à thé de sucre à fruit
Glace
1 once de dry gin

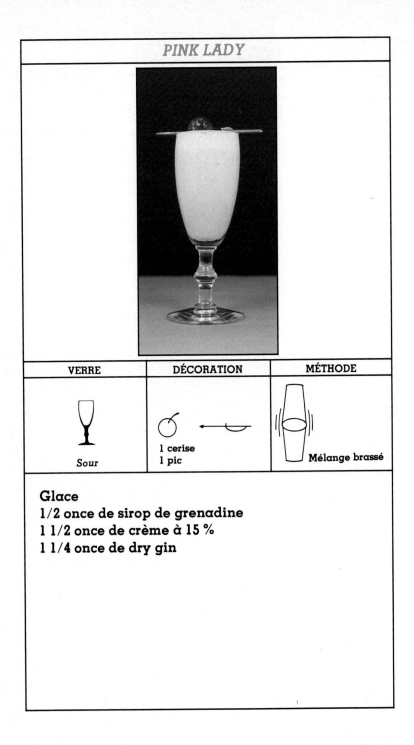

VERRE	DÉCORATION	MÉTHODE
Sour	1 cerise 1 pic	Mélange brassé

Glace
1/2 once de sirop de grenadine
1 1/2 once de crème à 15 %
1 1/4 once de dry gin

SINGAPORE SLING

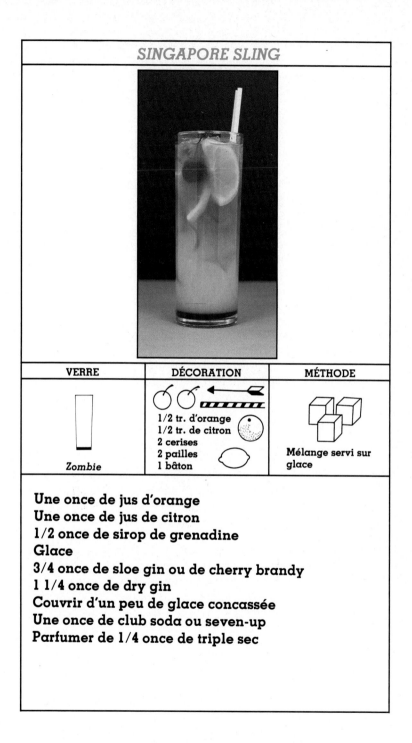

VERRE	DÉCORATION	MÉTHODE
Zombie	1/2 tr. d'orange 1/2 tr. de citron 2 cerises 2 pailles 1 bâton	Mélange servi sur glace

Une once de jus d'orange
Une once de jus de citron
1/2 once de sirop de grenadine
Glace
3/4 once de sloe gin ou de cherry brandy
1 1/4 once de dry gin
Couvrir d'un peu de glace concassée
Une once de club soda ou seven-up
Parfumer de 1/4 once de triple sec

TOM COLLINS

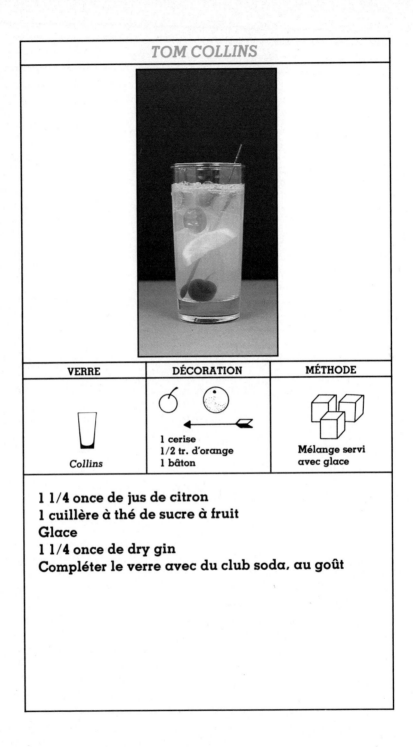

VERRE	DÉCORATION	MÉTHODE
Collins	1 cerise 1/2 tr. d'orange 1 bâton	Mélange servi avec glace

1 1/4 once de jus de citron
1 cuillère à thé de sucre à fruit
Glace
1 1/4 once de dry gin
Compléter le verre avec du club soda, au goût

Mélanges à base de rhum

BETWEEN THE SHEETS

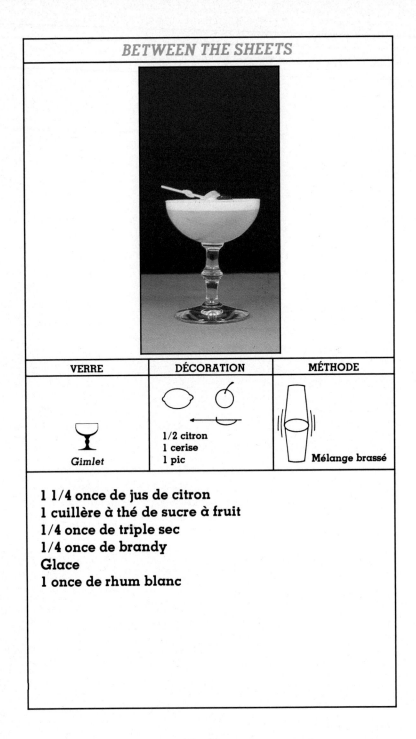

VERRE	DÉCORATION	MÉTHODE
Gimlet	1/2 citron 1 cerise 1 pic	Mélange brassé

1 1/4 once de jus de citron
1 cuillère à thé de sucre à fruit
1/4 once de triple sec
1/4 once de brandy
Glace
1 once de rhum blanc

CUBA LIBRE

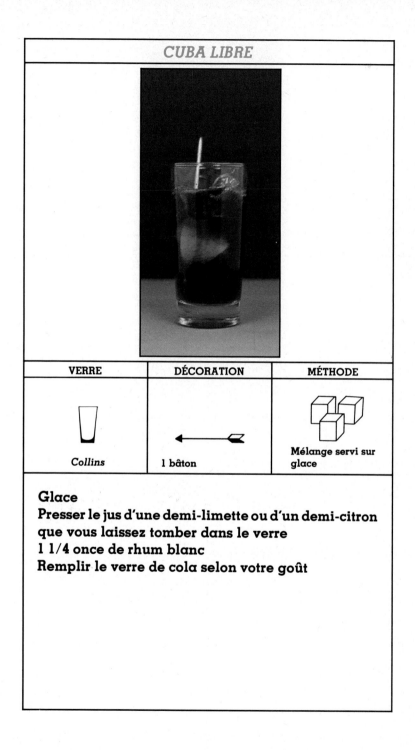

VERRE	DÉCORATION	MÉTHODE
Collins	1 bâton	Mélange servi sur glace

Glace
Presser le jus d'une demi-limette ou d'un demi-citron
que vous laissez tomber dans le verre
1 1/4 once de rhum blanc
Remplir le verre de cola selon votre goût

DAIQUIRI

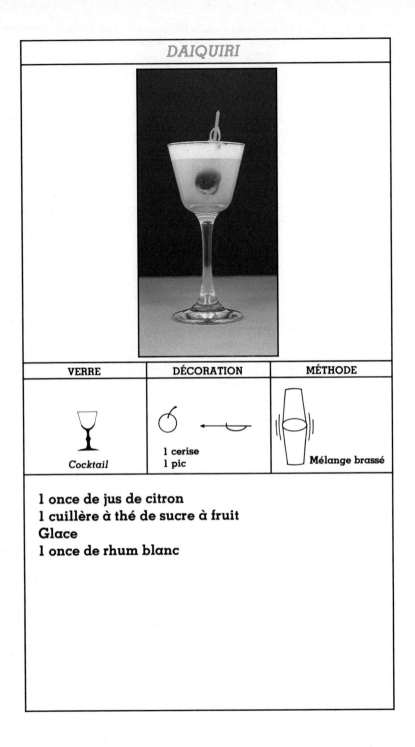

VERRE	DÉCORATION	MÉTHODE
Cocktail	1 cerise 1 pic	Mélange brassé

1 once de jus de citron
1 cuillère à thé de sucre à fruit
Glace
1 once de rhum blanc

HOT BUTTERED RHUM

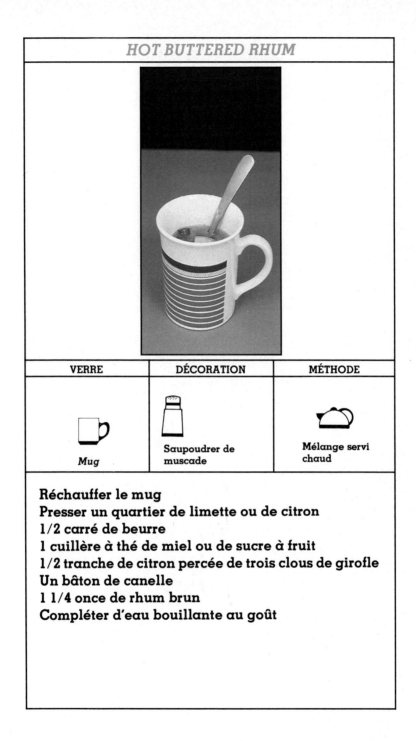

VERRE	DÉCORATION	MÉTHODE
Mug	Saupoudrer de muscade	Mélange servi chaud

Réchauffer le mug
Presser un quartier de limette ou de citron
1/2 carré de beurre
1 cuillère à thé de miel ou de sucre à fruit
1/2 tranche de citron percée de trois clous de girofle
Un bâton de canelle
1 1/4 once de rhum brun
Compléter d'eau bouillante au goût

PINA COLADA

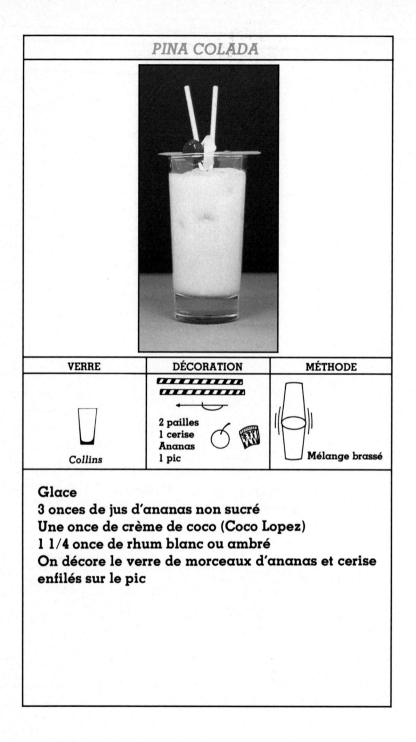

VERRE	DÉCORATION	MÉTHODE
Collins	2 pailles 1 cerise Ananas 1 pic	Mélange brassé

Glace
3 onces de jus d'ananas non sucré
Une once de crème de coco (Coco Lopez)
1 1/4 once de rhum blanc ou ambré
On décore le verre de morceaux d'ananas et cerise
enfilés sur le pic

PLANTER'S PUNCH

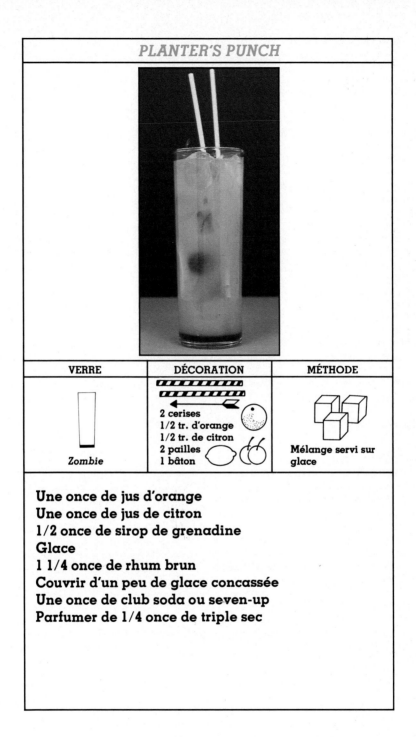

VERRE	DÉCORATION	MÉTHODE
Zombie	2 cerises 1/2 tr. d'orange 1/2 tr. de citron 2 pailles 1 bâton	Mélange servi sur glace

Une once de jus d'orange
Une once de jus de citron
1/2 once de sirop de grenadine
Glace
1 1/4 once de rhum brun
Couvrir d'un peu de glace concassée
Une once de club soda ou seven-up
Parfumer de 1/4 once de triple sec

ZOMBIE

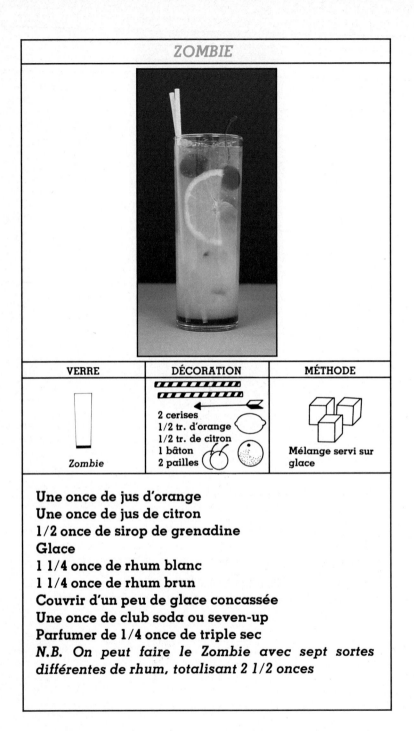

VERRE	DÉCORATION	MÉTHODE
Zombie	2 cerises 1/2 tr. d'orange 1/2 tr. de citron 1 bâton 2 pailles	Mélange servi sur glace

Une once de jus d'orange
Une once de jus de citron
1/2 once de sirop de grenadine
Glace
1 1/4 once de rhum blanc
1 1/4 once de rhum brun
Couvrir d'un peu de glace concassée
Une once de club soda ou seven-up
Parfumer de 1/4 once de triple sec
N.B. On peut faire le Zombie avec sept sortes différentes de rhum, totalisant 2 1/2 onces

Mélanges à base de rye et scotch

JOHN COLLINS

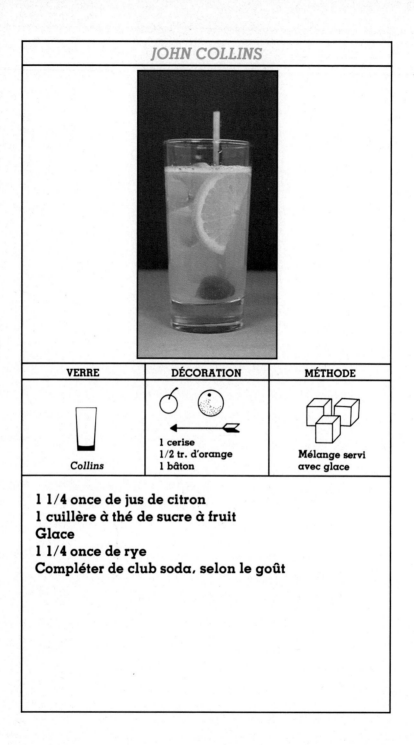

VERRE	DÉCORATION	MÉTHODE
Collins	1 cerise 1/2 tr. d'orange 1 bâton	Mélange servi avec glace

1 1/4 once de jus de citron
1 cuillère à thé de sucre à fruit
Glace
1 1/4 once de rye
Compléter de club soda, selon le goût

MANHATTAN SWEET

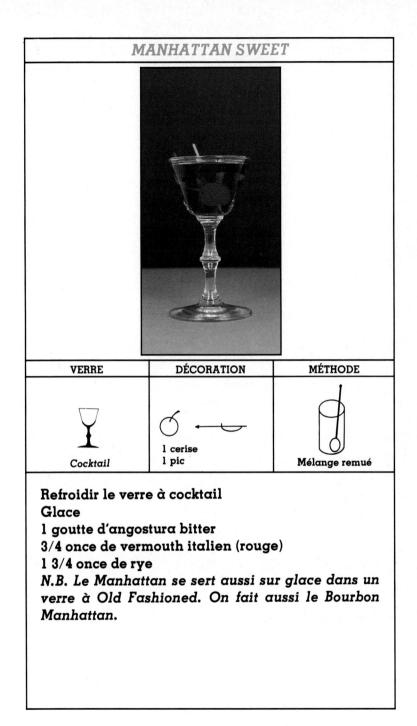

VERRE	DÉCORATION	MÉTHODE
Cocktail	1 cerise 1 pic	Mélange remué

Refroidir le verre à cocktail
Glace
1 goutte d'angostura bitter
3/4 once de vermouth italien (rouge)
1 3/4 once de rye
N.B. Le Manhattan se sert aussi sur glace dans un verre à Old Fashioned. On fait aussi le Bourbon Manhattan.

OLD FASHIONED

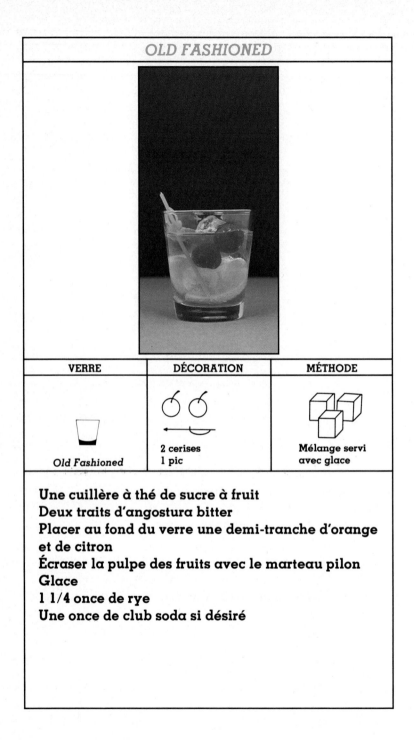

VERRE	DÉCORATION	MÉTHODE
Old Fashioned	2 cerises 1 pic	Mélange servi avec glace

Une cuillère à thé de sucre à fruit
Deux traits d'angostura bitter
Placer au fond du verre une demi-tranche d'orange
et de citron
Écraser la pulpe des fruits avec le marteau pilon
Glace
1 1/4 once de rye
Une once de club soda si désiré

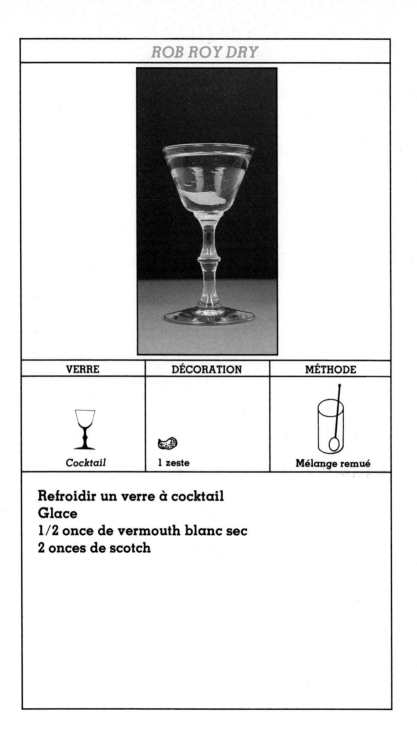

VERRE	DÉCORATION	MÉTHODE
Cocktail	1 zeste	Mélange remué

Refroidir un verre à cocktail
Glace
1/2 once de vermouth blanc sec
2 onces de scotch

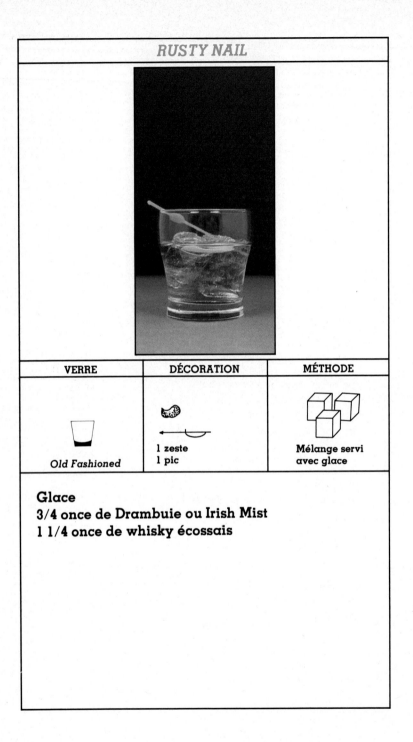

VERRE	DÉCORATION	MÉTHODE
Old Fashioned	1 zeste 1 pic	Mélange servi avec glace

Glace
3/4 once de Drambuie ou Irish Mist
1 1/4 once de whisky écossais

WARD EIGHT

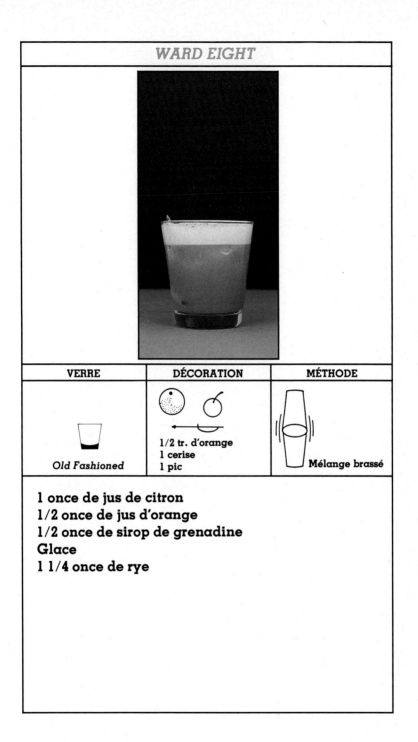

VERRE	DÉCORATION	MÉTHODE
Old Fashioned	1/2 tr. d'orange 1 cerise 1 pic	Mélange brassé

1 once de jus de citron
1/2 once de jus d'orange
1/2 once de sirop de grenadine
Glace
1 1/4 once de rye

WHISKY SOUR

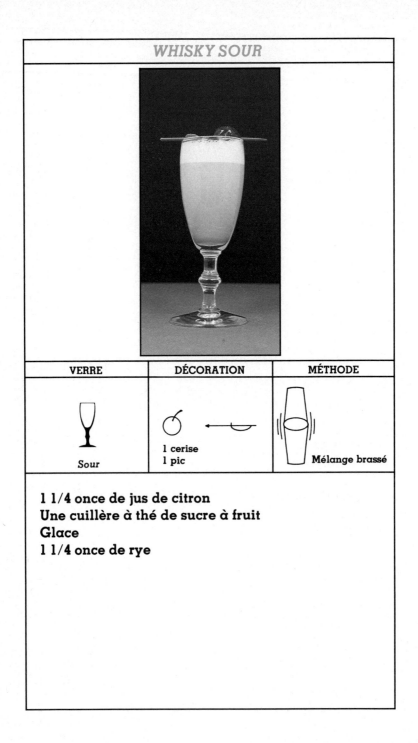

VERRE	DÉCORATION	MÉTHODE
Sour	1 cerise 1 pic	Mélange brassé

1 1/4 once de jus de citron
Une cuillère à thé de sucre à fruit
Glace
1 1/4 once de rye

Mélanges à base de vodka et d'alcool

BLACK RUSSIAN

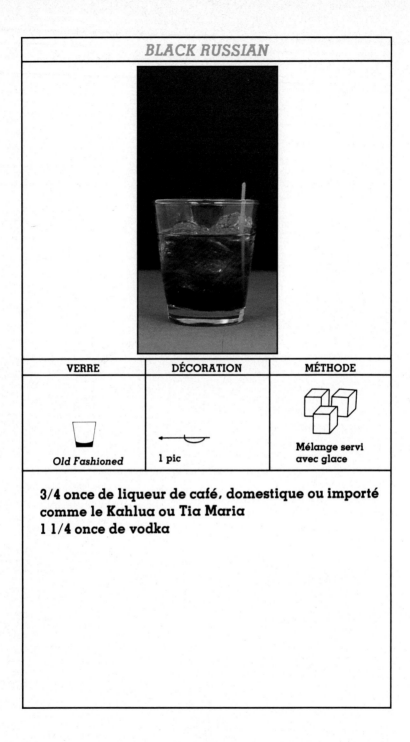

VERRE	DÉCORATION	MÉTHODE
Old Fashioned	1 pic	Mélange servi avec glace

3/4 once de liqueur de café, domestique ou importé comme le Kahlua ou Tia Maria
1 1/4 once de vodka

BLOODY CESAR

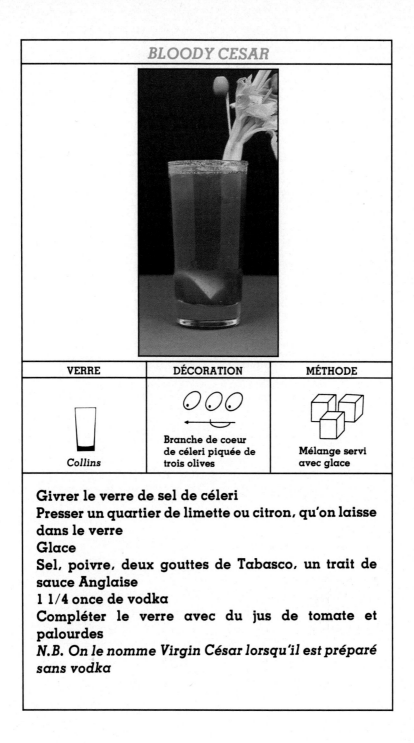

VERRE	DÉCORATION	MÉTHODE
Collins	Branche de coeur de céleri piquée de trois olives	Mélange servi avec glace

Givrer le verre de sel de céleri
Presser un quartier de limette ou citron, qu'on laisse dans le verre
Glace
Sel, poivre, deux gouttes de Tabasco, un trait de sauce Anglaise
1 1/4 once de vodka
Compléter le verre avec du jus de tomate et palourdes
N.B. On le nomme Virgin César lorsqu'il est préparé sans vodka

BLOODY MARY

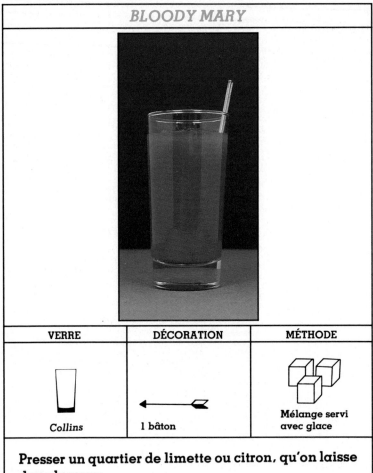

VERRE	DÉCORATION	MÉTHODE
Collins	1 bâton	Mélange servi avec glace

Presser un quartier de limette ou citron, qu'on laisse dans le verre
Glace
Sel, poivre, deux gouttes de Tabasco, un trait de sauce Anglaise
1 1/4 once de vodka
Compléter le verre avec du jus de tomate
N.B. On le nomme Virgin Mary lorsqu'il est préparé sans vodka

HARVEY WALL BANGER

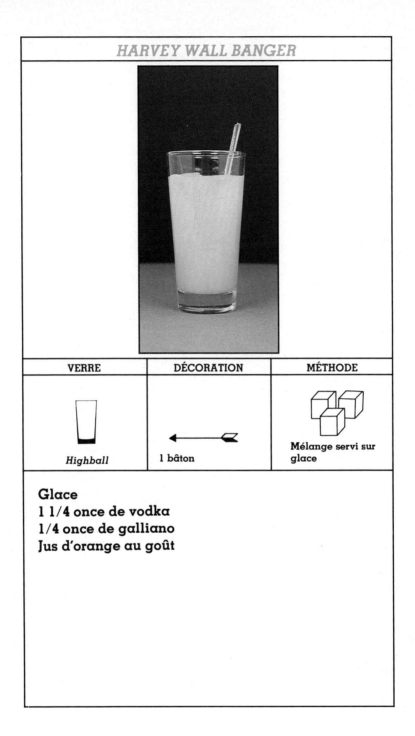

VERRE	DÉCORATION	MÉTHODE
Highball	1 bâton	Mélange servi sur glace

Glace
1 1/4 once de vodka
1/4 once de galliano
Jus d'orange au goût

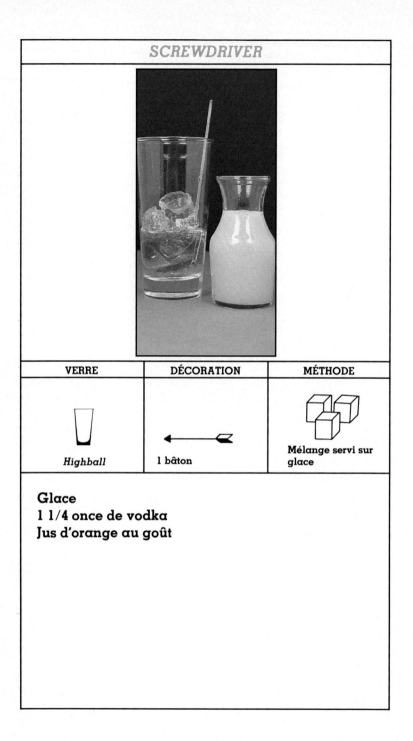

VERRE	DÉCORATION	MÉTHODE
Highball	1 bâton	Mélange servi sur glace

Glace
1 1/4 once de vodka
Jus d'orange au goût

SOMBRERO

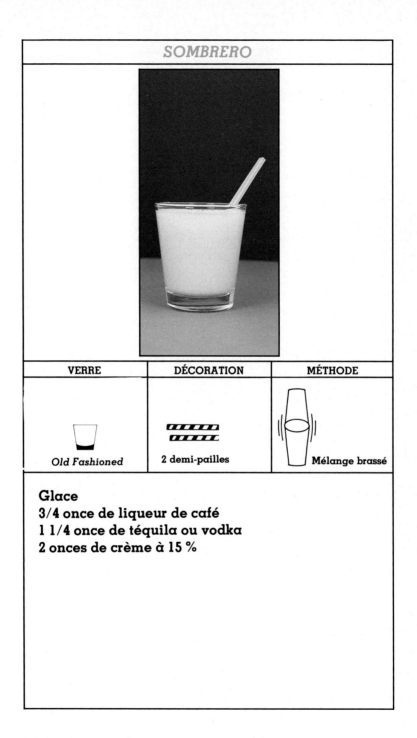

VERRE	DÉCORATION	MÉTHODE
Old Fashioned	2 demi-pailles	Mélange brassé

Glace
3/4 once de liqueur de café
1 1/4 once de téquila ou vodka
2 onces de crème à 15 %

VODKA GIMLET

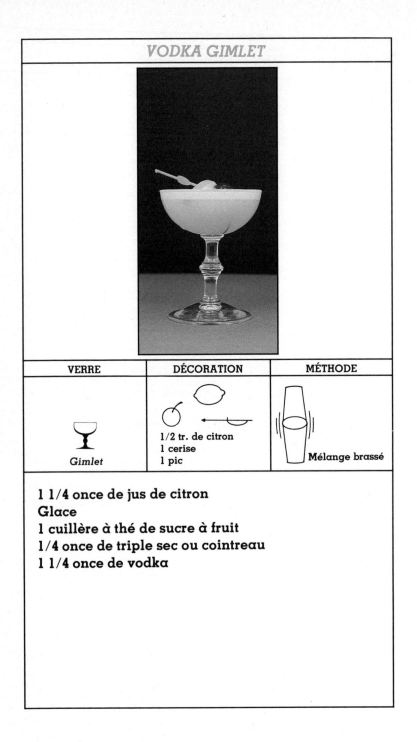

VERRE	DÉCORATION	MÉTHODE
Gimlet	1/2 tr. de citron 1 cerise 1 pic	Mélange brassé

1 1/4 once de jus de citron
Glace
1 cuillère à thé de sucre à fruit
1/4 once de triple sec ou cointreau
1 1/4 once de vodka

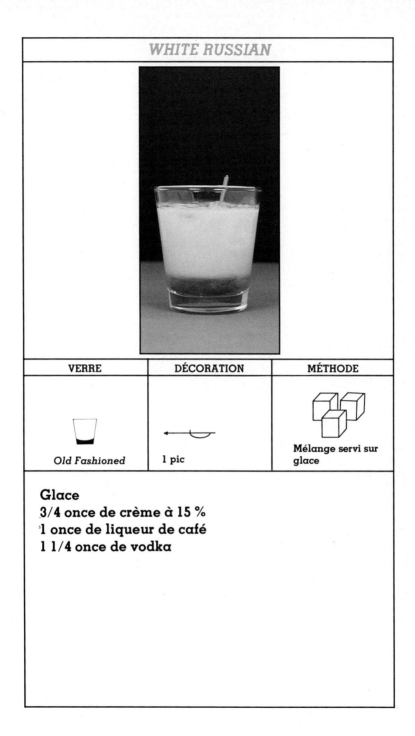

VERRE	DÉCORATION	MÉTHODE
Old Fashioned	1 pic	Mélange servi sur glace

Glace
3/4 once de crème à 15 %
1 once de liqueur de café
1 1/4 once de vodka

Mélanges à base de diverses boissons

ANGEL KISS

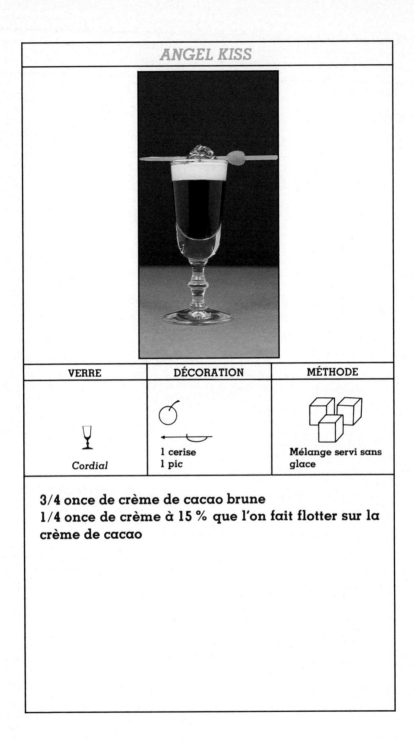

VERRE	DÉCORATION	MÉTHODE
Cordial	1 cerise 1 pic	Mélange servi sans glace

3/4 once de crème de cacao brune
1/4 once de crème à 15 % que l'on fait flotter sur la
crème de cacao

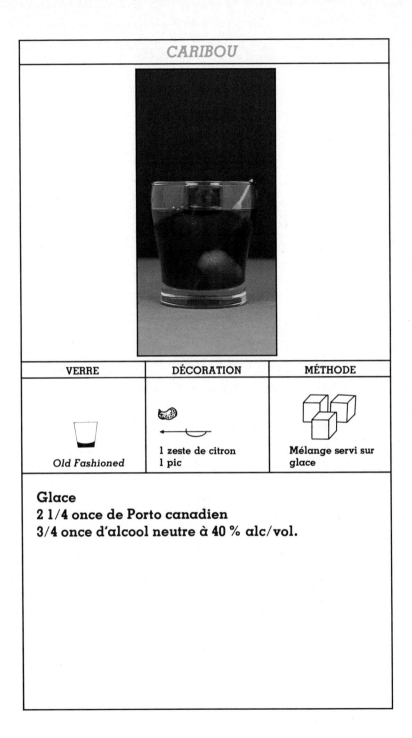

VERRE	DÉCORATION	MÉTHODE
Old Fashioned	1 zeste de citron 1 pic	Mélange servi sur glace

Glace
2 1/4 once de Porto canadien
3/4 once d'alcool neutre à 40 % alc/vol.

FLAMING FLAMINGO

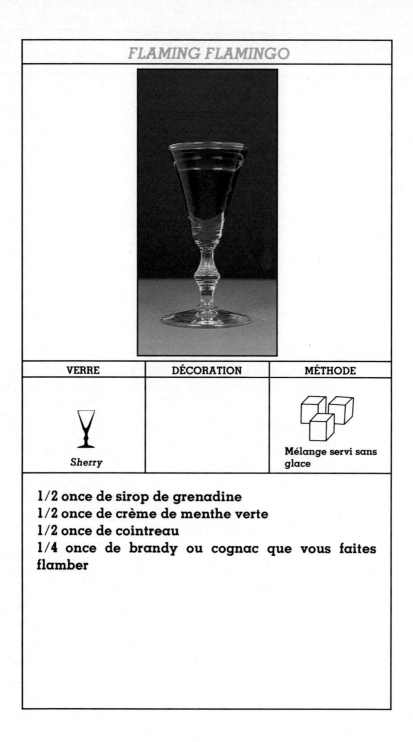

VERRE	DÉCORATION	MÉTHODE
Sherry		Mélange servi sans glace

1/2 once de sirop de grenadine
1/2 once de crème de menthe verte
1/2 once de cointreau
1/4 once de brandy ou cognac que vous faites flamber

GOLDEN CADILLAC

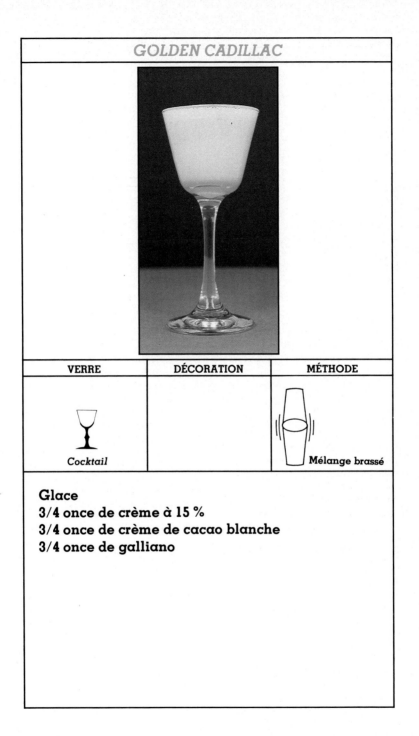

VERRE	DÉCORATION	MÉTHODE
Cocktail		Mélange brassé

Glace
3/4 once de crème à 15 %
3/4 once de crème de cacao blanche
3/4 once de galliano

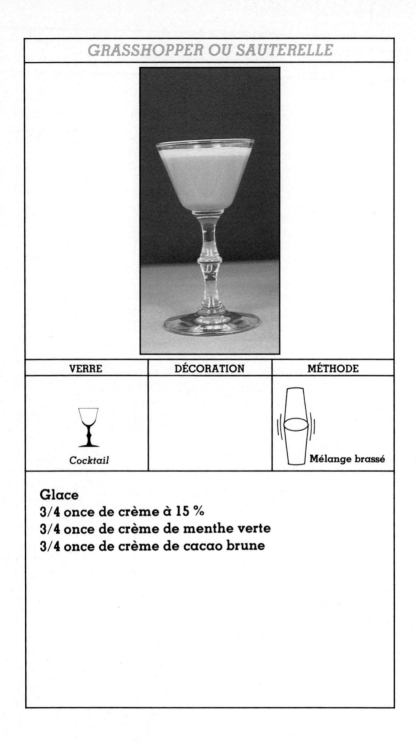

VERRE	DÉCORATION	MÉTHODE
Cocktail		Mélange brassé

Glace
3/4 once de crème à 15 %
3/4 once de crème de menthe verte
3/4 once de crème de cacao brune

MARGARITA

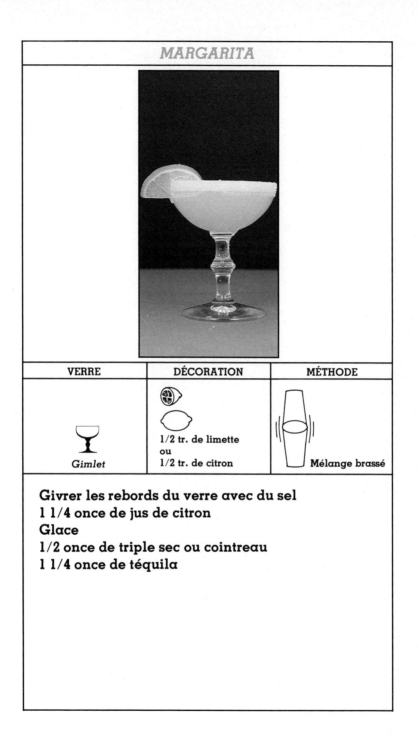

VERRE	DÉCORATION	MÉTHODE
Gimlet	1/2 tr. de limette ou 1/2 tr. de citron	Mélange brassé

Givrer les rebords du verre avec du sel
1 1/4 once de jus de citron
Glace
1/2 once de triple sec ou cointreau
1 1/4 once de téquila

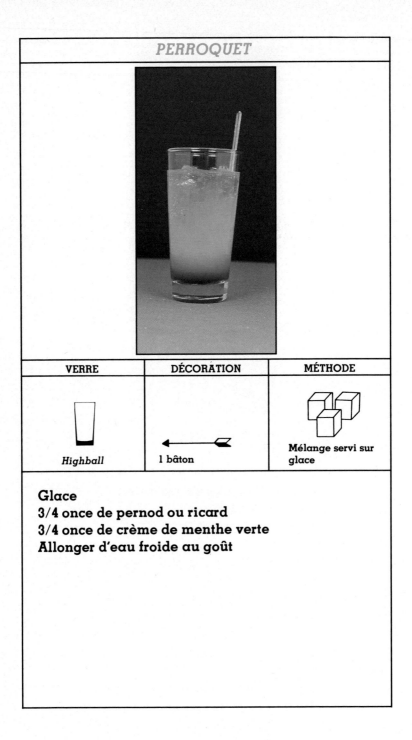

VERRE	DÉCORATION	MÉTHODE
Highball	1 bâton	Mélange servi sur glace

Glace
3/4 once de pernod ou ricard
3/4 once de crème de menthe verte
Allonger d'eau froide au goût

TEQUILA SUNRISE

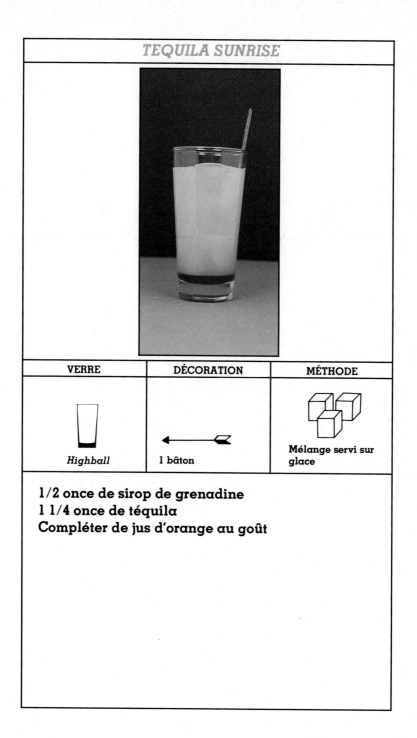

VERRE	DÉCORATION	MÉTHODE
Highball	1 bâton	Mélange servi sur glace

1/2 once de sirop de grenadine
1 1/4 once de téquila
Compléter de jus d'orange au goût

Mélanges sans alcool

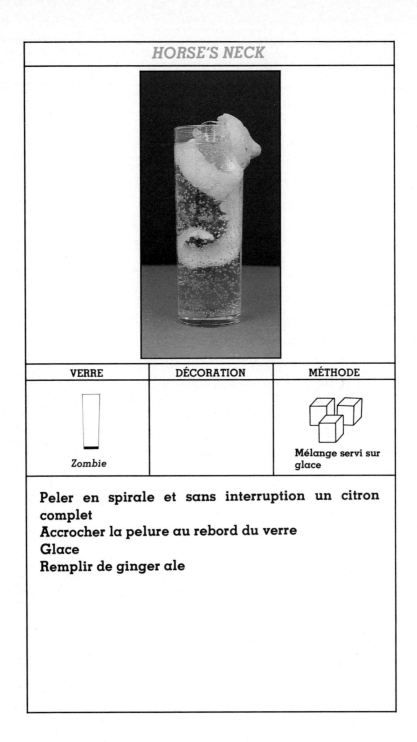

VERRE	DÉCORATION	MÉTHODE
Zombie		Mélange servi sur glace

Peler en spirale et sans interruption un citron complet
Accrocher la pelure au rebord du verre
Glace
Remplir de ginger ale

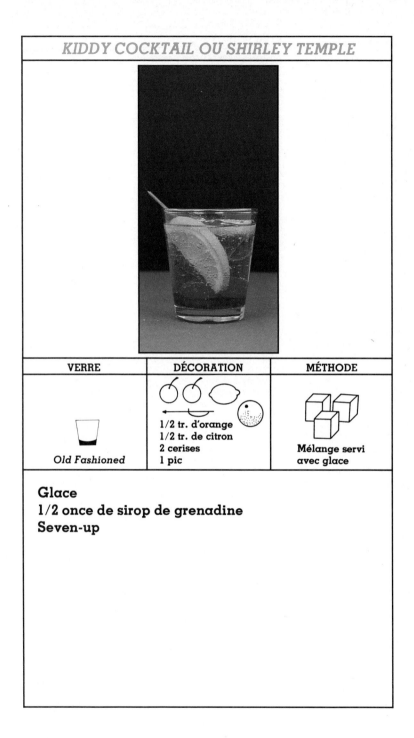

VERRE	DÉCORATION	MÉTHODE
Old Fashioned	1/2 tr. d'orange 1/2 tr. de citron 2 cerises 1 pic	Mélange servi avec glace

Glace
1/2 once de sirop de grenadine
Seven-up

LIMONADE

VERRE	DÉCORATION	MÉTHODE
Collins	1 bâton 2 pailles 1/2 tr. d'orange 1 cerise	Mélange servi avec glace

3 onces de jus de citron
3 cuillères à thé de sucre à fruit
Glace
Remplir de club soda

VERRE	DÉCORATION	MÉTHODE
Collins	1 bâton 2 pailles 1/2 tr. d'orange 1 cerise	Mélange servi avec glace

3 onces de jus d'orange frais
Une cuillère à thé de sucre à fruit
Remplir d'eau froide

RECETTE PERSONNELLE

VERRE	DÉCORATION	MÉTHODE

RECETTE PERSONNELLE

VERRE	DÉCORATION	MÉTHODE

RECETTE PERSONNELLE

VERRE	DÉCORATION	MÉTHODE

RECETTE PERSONNELLE

VERRE	DÉCORATION	MÉTHODE

Recette de punch au Southern Comfort

(Quantité pour environ vingt tasses à punch ou verres à old fashioned)

Préparer dans un bol à punch :

De la glace

10 onces de jus de pamplemousse

10 onces de jus d'ananas

5 onces de jus de citron

25 onces de Southern Comfort

5 onces de Triple Sec

Remuer bien tous les ingrédients.

Au moment de servir, verser 28 onces de Seven-Up froid.

Décorer de tranches de citrons, d'oranges, d'ananas et des cerises.

Servir à l'aide de la louche à punch.

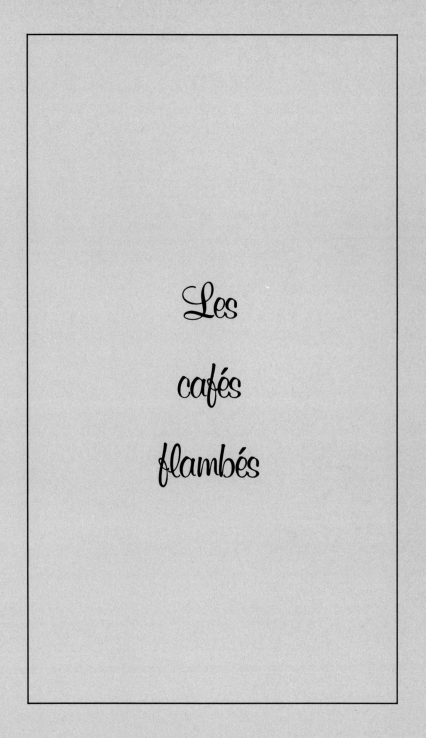

Les
cafés
flambés

Technique de préparation de base

Humecter les rebords du verre avec un quartier de citron.

Givrer de sucre.

Après avoir fait chauffer légèrement le verre, verser l'alcool dans le verre, ici du cognac.

Chauffer l'alcool et flamber en prenant soin de pencher légèrement le verre de manière à ce que la flamme caramélise le sucre.

Ajouter une cuillère à thé de sucre si désiré.

Verser le café bien chaud à environ un pouce du rebord.

Napper généreusement le café de crème fouettée.

Verser la liqueur dans la louche (ici du Tia Maria).

Faire flamber la liqueur.

Verser la liqueur enflammée sur la crème fouettée.

Servir sur une assiette à pain avec papier-dentelle accompagnée d'une cuillère à thé et d'une serviette de table.

Recettes de cafés flambés

Café Brésilien :

- 1 once de brandy ou cognac
- 1/2 once de Kalhua
- 1/2 once de Grand-Marnier.

Café Espagnol :

- 1 once 1/4 de brandy ou cognac
- 3/4 once de Tia Maria.

Café Irlandais :

- 1 once 1/4 de Whisky irlandais
- 3/4 once de Irish Mist.

Café Rüdesheimer :

- 1 once 1/2 de brandy allemand
- Couronner la crème fouettée en la décorant de chocolat râpé.

Café Wellington :

- 1 once 1/4 de rhum foncé
- 3/4 once de liqueur de café.

Pliage de la serviette pour les cafés flambés

1. Étaler une serviette carrée à plat.

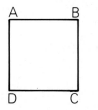

2. Rabattre la pointe C sur A de manière à obtenir un triangle.

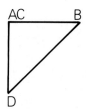

3. Rabattre la pointe B sur AC.

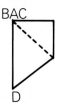

4. Rabattre la pointe D sur les pointes ACB.

5. Retourner la serviette sur l'autre coté.

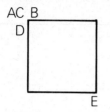

6. Rabattre la pointe E sur l'ensemble des pointes AB, C, D.

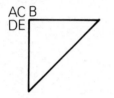

7. Retourner la serviette sur l'autre côté.

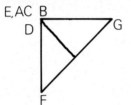

8. Replier les pointes du dessous F sur G.

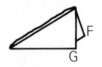

9. Placer votre main dans l'ouverture produite par E, AC, B, D, pour obtenir une mitaine.

262

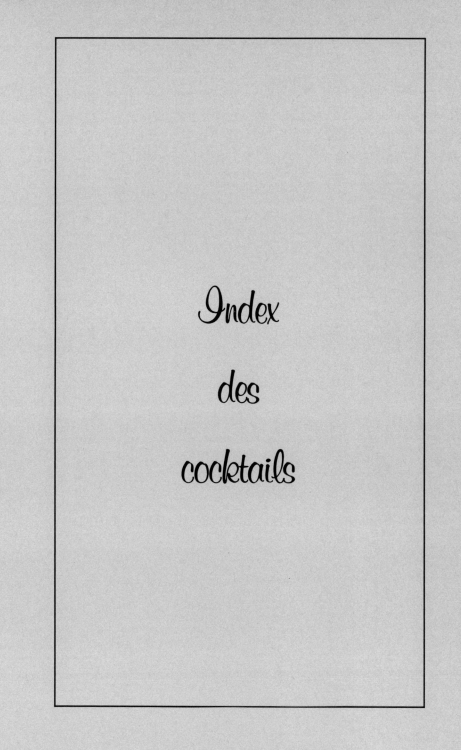

Index

des

cocktails

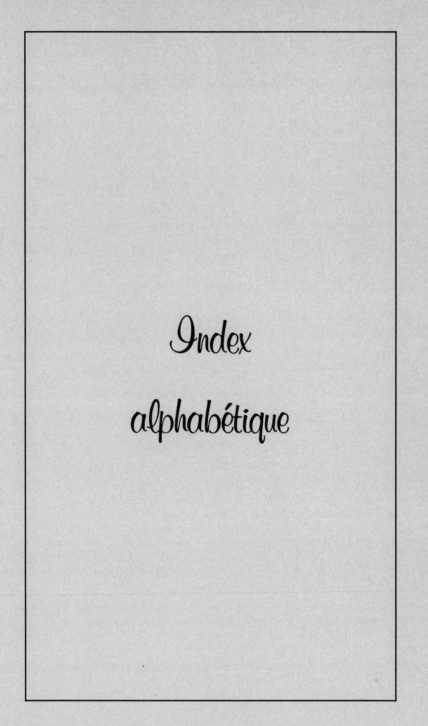

Index

alphabétique

Bibliographie

COURTINE, R.J. *Larousse gastronomique*. Paris, Larousse, 1ère édition, 1968. 1104 p.

FÉDÉRATION SUISSE DES CAFETIÈRS, RESTAURATEURS ET HÔTELIERS. *L'art de bien servir*. Zurich, édité par la Fédération suisse des cafetiers, restaurateurs et hôteliers 1975, 2e édition française revue et corrigée. 303 p.

LICHINE, Alexis. *Encyclopédie des vins et des alcools*. Paris, Robert Laffont, 1980. 945 p.

SALLE, J.B. *Larousse des alcools*. Paris, Larousse, juin 1982.

SCHRAEMLI, HARRY. *Manuel du bar*. Union Helvétia Lucerne Suisse. 622 p.

WAUGH, ALEC. *Vins et spiritueux*. U.S.A., Time Life, 1968-70, revisé 1974. 208 p.

Autres références

Documentation personnelle, Institut du Tourisme et d'Hôtellerie du Québec.

Documentation présentée par Sopexa, Montréal.

Répertoire des Vins et Spiritueux, Société des Alcools du Québec.

Revue La Barrique et Marmite.

Lithographié au Canada
sur les presses de
Métropole Litho Inc.